D0652785

ALLÔ, HERCULE POIROT...

NOTE DE L'ÉDITEUR

Les volumes de la collection sont imprimés en très grande série.

Un incident technique peut se produire en cours de fabrication et il est possible qu'un livre souffre d'une imperfection qui a pu échapper aux services de contrôle.

Dans ce cas, il ne faut pas hésiter à nous le renvoyer. Il sera immédiatement échangé.

Les frais de port seront remboursés.

AGATHA CHRISTIE

ALLÔ, HERCULE POIROT...

(six nouvelles inédites)

PARIS
LIBRAIRIE DES CHAMPS-ÉLYSÉES
17, RUE DE MARIGNAN, 17

LA DISPARITION

DE Mr. DAVENHEIM

(DISAPPEARANCE OF MR. DAVENHEIM)

Assis auprès de la table à thé, Poirot et moi, nous attendions notre vieil ami l'inspecteur Japp qui devait partager notre goûter.

Un coup sec précéda de quelques instants l'entrée brusque de Japp.

— J'espère que je ne suis pas en retard, dit-il en nous saluant; pour ne rien vous cacher, j'étais en train de bavarder avec Miller, l'inspecteur qui s'occupe de l'affaire Davenheim.

Je dressai l'oreille. Depuis trois jours, les journaux étaient pleins de l'étrange disparition de Mr. Davenheim, principal associé de la firme *Davenheim & Salmon*, les financiers et banquiers bien connus. On l'avait vu sortir de chez lui le samedi précédent et il n'avait pas reparu. Je brûlais d'arracher à Japp quelque détail intéressant.

— J'aurais cru, remarquai-je, qu'il était impossible de disparaître à l'heure actuelle.

Poirot avança une assiette de minuscules tartines beurrées et dit vivement :

— Soyez précis, mon ami. Qu'entendez-vous par disparaître? A quelle sorte de disparition faites-vous allusion?

— Les disparitions sont-elles donc classées et étiquetées? demandai-je en riant.

— Mais naturellement, elles le sont. Elles se ramènent à trois catégories : la première et la plus connue, est la disparition volontaire; la deuxième, la perte de mémoire et de personnalité, cas rare mais qui se rencontre de temps en temps. La troisième, meurtre avec escamotage plus ou moins heureux du cadavre. Considérez-vous ces trois cas comme impossibles?

— Oui, à peu près impossibles, à mon avis. On peut perdre la mémoire, évidemment, mais il est bien sûr que quelqu'un vous reconnaîtra un jour ou l'autre — surtout s'il s'agit d'un homme aussi connu que Davenheim. Ensuite, les corps, on ne peut pas les volatiliser dans l'air ambiant. Tôt ou tard, ils sortent de leur cachette, de leur sous-bois, de leur malle... Le meurtre est découvert. Avec les moyens de communication modernes on a peu de chances de ne pas être rattrapé. La fuite en pays étranger? Les ports et les gares sont surveillés...

— Mon cher ami, dit Poirot, vous faites une légère erreur. Il ne vous vient pas à l'esprit qu'un homme qui a décidé de se débarrasser d'un autre homme — ou de lui-même — puisse être cette chose si rare : un homme méthodique. Il peut avoir apporté à sa tâche toute l'intelligence et tout le talent nécessaires ainsi que le calcul soigneux du moindre détail; et dans ce cas je ne vois pas pourquoi il ne réussirait pas à duper la police.

— La police, peut-être; mais pas vous? dit Japp avec bonne humeur et le regard brillant de malice. On ne trompe pas Hercule Poirot.

Le détective essaya sans beaucoup de succès de paraître modeste.

— Mais si, moi aussi. Pourquoi pas? Il est vrai que j'aborde ce genre de problèmes avec une science exacte, une précision mathématique qui semblent, hélas! trop rares parmi les détectives de la nouvelle génération.

Le sourire de Japp s'élargit.

— C'est possible. Mais Miller qui s'occupe de cette affaire est un vieux routier de la profession. Vous pouvez être sûr qu'aucune empreinte, aucune cendre de cigarette, miette de pain, boue sur le paillasson ou poil de chat sur le dessus de lit ne lui échappera. Vous n'allez pas vous mettre à nier la valeur des petits détails, Poirot!

— En aucune manière. Toutes ces choses sont fort utiles, chacune dans son genre. Le danger est qu'elles peuvent prendre plus d'importance qu'elles n'en ont. La plupart des détails sont insignifiants; seuls un ou deux sont d'une importance capitale. C'est sur le cerveau et la matière grise... Il se tapait le front. « ... qu'il faut compter. Les sens sont trompeurs. La vérité se manifeste au-dedans de nous, pas au-dehors. »

— Vous ne voulez tout de même pas dire, Poirot, que vous entreprendriez de démêler un cas sans bouger de votre chaise?

— Mais si, c'est exactement ce que je veux dire. Je m'en charge, à condition qu'on m'expose tous les faits. Je me considère comme un spécialiste de la consultation.

Japp se frotta les mains d'un air démoniaque.

— Je veux être pendu si je ne vous prends pas au mot, Poirot. Je vous parie cinq livres que vous n'êtes pas capable de mettre la main — ou plutôt de me faire mettre la main — sur Mr. Davenheim, mort ou vif, avant une semaine à partir d'aujourd'hui.

— *Mmmm*... Une semaine, vous dites?

— Oui, sept jours à compter de ce soir.

— Parfait, mon ami, j'accepte. Le sport, c'est votre manie, à vous Anglais. Et maintenant si vous voulez bien me communiquer les faits?

— Samedi dernier, selon son habitude, Mr. Davenheim a pris à Victoria le train de 12 h 40 pour Chingside, où se trouve sa splendide propriété des Cèdres. Après le déjeuner, il fit un tour sur ses terres et donna différents ordres aux jardiniers. Tout le monde s'accorde à dire qu'il était absolument dans son état normal. Après le thé, il entrouvrit la porte du boudoir de sa femme pour dire qu'il allait jusqu'au village mettre quelques lettres à la poste. Il ajouta qu'il attendait un certain Mr. Lowen, pour affaires. S'il arrivait avant son retour, on devrait l'introduire dans le bureau et lui dire d'attendre. Mr. Davenheim sortit alors par la porte principale, longea sans hâte l'allée centrale, sortit par le portail, et on ne l'a plus revu. Depuis ce moment, il s'est évanoui dans la nature.

— Joli tableau : « Les Cèdres »... des jardiniers, un bureau de poste de village... Ce mystère est posé dans un cadre adorable, murmura Poirot, mais continuez, mon ami, je ne veux pas vous interrompre.

— Un quart d'heure plus tard environ, un monsieur grand, brun, avec une petite moustache noire, sonna à la porte principale et expliqua qu'il avait rendez-vous avec Mr. Davenheim. Il donna son nom — Lowen — et selon les instructions du banquier on l'introduisit dans le bureau. Une heure s'écoula; Mr. Davenheim ne rentrait pas. A la fin Mr. Lowen sonna de nouveau et expliqua qu'il ne pouvait plus attendre, à cause de l'heure de son train de retour. Mrs. Davenheim s'excusa de l'absence de son mari, qui lui parut inexplicable puisqu'il avait dit qu'il attendait un visiteur. Mr. Lowen exprima ses regrets et se retira. Les heures s'écoulèrent... Et, comme tout le monde le sait, Mr. Davenheim n'est jamais rentré. De bonne heure, le dimanche matin, on a avisé la police; mais elle ne put rien découvrir. Mr. Davenheim semblait s'être littéralement envolé. Il n'était pas à la poste, on ne l'avait pas vu traverser le village. A la gare, on était catégorique : il n'avait pris aucun train. Son auto n'avait pas quitté le garage. S'il avait loué une auto pour qu'elle vînt le chercher en quelque endroit isolé, son conducteur serait certainement venu déclarer ce qu'il savait, pour avoir la forte récompense promise pour tout renseignement. Il y avait, il est vrai, des courses à Enfield, à cinq milles de là, et en marchant jusqu'à cette gare il aurait pu passer inaperçu dans la foule. Mais depuis, sa photographie avait paru dans tous les journaux avec un signalement complet et personne n'avait pu donner de ses nouvelles. Lundi matin, une découverte sensationnelle : derrière une portière dans le bureau de Mr. Davenheim, se trouve un coffre-fort, ce coffre-fort a été défoncé et pillé. Les fenêtres étaient bien fermées à l'intérieur, ce qui semble mettre hors de cause une effraction ordinaire; à moins, bien entendu, qu'un complice ne les eût refermées ensuite. D'un autre côté, en tenant compte du week-end et de la maisonnée en effervescence, il est possible que l'effraction ait été commise le samedi et n'ait pas été découverte avant lundi.

— Précisément, trancha Poirot sèchement. Alors cet infortuné Mr. Lowen est arrêté?

— Pas encore. Mais la police le surveille.

Poirot hocha la tête, indifférent.

— Qu'a-t-on pris dans le coffre? Avez-vous une idée?

— Nous avons fait des recherches avec le second associé de la firme et Mrs. Davenheim. Il semble qu'il y avait une somme considérable en chèques au porteur et une grosse somme en billets qui venait d'un règlement récent. Il devait y avoir aussi une petite fortune en bijoux. Tous ceux de Mrs. Davenheim étaient enfermés dans ce coffre. Son mari avait depuis quelque temps la passion des bijoux et il ne se passait pas un mois sans qu'il lui fît présent de quelque pierre rare et coûteuse.

— En somme un bon coup de filet, dit Poirot pensif. Et maintenant ce Lowen? Sait-on quelle affaire il traitait avec Davenheim ce soir-là?

— Eh bien, il semble que les deux hommes

n'aient pas été en très bons termes. Lowen est un spéculateur audacieux. Il a su marquer, une fois ou deux, un point contre Davenheim. Il semble que depuis assez longtemps les deux hommes ne se voyaient pratiquement plus. Une histoire d'actions sud-américaines avait amené le banquier à fixer ce rendez-vous.

— Davenheim avait donc des intérêts en Amérique du Sud?

— Je le crois, oui. Mrs. Davenheim m'a dit qu'il avait passé l'automne dernier à Buenos Aires.

— Aucun incident dans sa vie familiale? Comment s'entendaient le mari et la femme?

— Nous pouvons qualifier sa vie domestique de paisible et sans histoire. Mrs. Davenheim est une femme agréable, mais assez peu intelligente. Je la trouve personnellement plutôt insignifiante.

— Alors ce n'est pas là qu'il faut chercher la solution du problème. A-t-il quelque ennemi?

— Il a beaucoup de rivaux financiers, et certainement beaucoup de gens à qui il a pris de l'argent ne lui veulent pas spécialement du bien; mais je n'en crois aucun capable de le supprimer; et d'ailleurs, où serait le corps?

— Voilà le hic. Comme le dit Hastings, les corps ont l'habitude de réapparaître avec une persistance fatale.

— A ce propos le jardinier croit avoir vu quelqu'un se diriger de la maison vers le jardin. La grande porte-fenêtre du bureau ouvre sur le jardin et Mr. Davenheim entrait et sortait souvent par-là. Mais l'homme était assez loin, occupé à des châssis de concombres, et il ne peut même pas dire si la silhouette qu'il a aperçue était celle de son patron.

— Et Mr. Davenheim avait quitté la maison à...?

— Environ cinq heures et demie.

— Qu'y a-t-il au-delà du jardin?

— Un étang.

— Avec un hangar pour bateaux?

— Oui, deux barques y sont remisées. Je suppose que vous pensez au suicide, Poirot? Eh bien! je peux vous annoncer que Miller vient demain pour faire draguer la pièce d'eau. Cela ne m'étonne pas de lui : il va passer la vase au tamis fin et examiner à la loupe l'envers des feuilles de nénuphars.

Poirot eut un sourire imperceptible et se tourna vers moi.

— Hastings, passez-moi s'il vous plaît, ce numéro du *Daily Telegraph*. Si je m'en souviens bien il contient une bonne photo du disparu.

Je me levai et tendis le journal à Poirot. Il étudia attentivement la photographie.

— Hum, murmura-t-il, les cheveux longs et ondulés, la moustache abondante, la barbe en pointe... sourcils en broussaille, yeux noirs...

— Oui, oui, c'est juste.

— Les cheveux et la barbe grisonnants?

Le détective fit un signe affirmatif.

— Eh bien, Poirot? Est-ce que ça vous paraît si simple que ça?

— Bien au contraire : c'est fort complexe.

L'agent de Scotland Yard paraissait heureux.

« Ce qui me donne de grands espoirs pour résoudre le problème », continua placidement Poirot.

— Hein?

— Naturellement. Quand le cas est obscur, c'est bon signe. Si le problème est clair comme le jour, eh bien, ne vous y fiez pas : c'est qu'il a été trafiqué par quelqu'un.

Japp soupira, résigné.

— Une semaine, Poirot...

— Vous me communiquerez toutes vos nouvelles découvertes, en particulier les résultats des travaux de votre consciencieux inspecteur Miller.

— D'accord. Marché conclu.

Japp s'en alla.

— Eh bien, dit Poirot, quand nous fûmes seuls, vous vous moquez de papa Poirot, n'est-ce pas?

Il me menaçait du doigt.

— Vous n'avez pas confiance en ma matière grise? Bah, ne soyez pas gêné et discutons ce petit problème dont les données sont encore incomplètes, je l'admets, mais qui présente un ou deux points intéressants.

— Le lac, dis-je d'un air futé.

— Et plus encore que le lac, le hangar à bateaux.

Je regardai Poirot du coin de l'œil : il avait son sourire le plus impénétrable. Je sentis que pour le moment il était parfaitement inutile de le questionner davantage.

On n'eut aucune nouvelle de Japp jusqu'au lendemain soir. Quand il arriva, vers neuf heures, je vis tout de suite à son visage qu'il apportait quelque élément important et intéressant.

— Alors, mon ami, lança Poirot, quoi de neuf? Ne me dites surtout pas que vous avez découvert le corps de Mr. Davenheim dans le lac : je vous préviens d'avance que je ne vous croirai pas.

— Nous n'avons pas trouvé son corps, mais ses vêtements! Les vêtements qu'il portait le jour où il a disparu... Qu'est-ce que vous dites de ça, hein, Poirot?

— Je ne dis rien pour l'instant. Je vous demande s'il ne s'agit pas d'habits pris dans la maison?

— Absolument pas! Son valet peut l'affirmer : tout le reste de son vestiaire est au complet. Et il y a mieux. Nous avons arrêté Lowen. L'une des bonnes qui était en train de fermer les fenêtres de la maison a déclaré qu'elle l'a vu traverser le jardin et se diriger vers les bureaux vers dix heures un quart, soit à peu près dix minutes avant son départ.

— Et qu'en dit-il?

— Il a d'abord nié avoir quitté le bureau. Mais comme la bonne insistait, il a prétendu avoir oublié de dire qu'il était sorti par la porte-fenêtre pour examiner une rose d'une espèce rare; prétexte assez faible! Maintenant encore autre chose : Mr. Davenheim portait au petit doigt de la main droite une grosse bague en or avec un solitaire. Eh bien, cette bague a été mise en gage à Londres samedi soir par un homme nommé Billy Kellett : un triste individu, fiché, qui a fait trois mois de prison l'automne dernier pour avoir volé une montre en or à un vieux grand-père. Il a essayé de gager la bague au moins dans cinq endroits différents, et n'a réussi qu'au dernier, ensuite il a bu généreusement dans plusieurs *jubs* et s'est bagarré avec un docker, ce qui lui a valu d'être traîné au poste. Je suis allé le voir à Bowstreet avec Miller. Il est maintenant suffisamment dégrisé, et nous l'avons presque tué de frayeur en insinuant qu'il pourrait bien être accusé de meurtre. Voici son histoire. Ecoutez-moi ça, Poirot, c'est pour le moins curieux :

« Kellett était donc aux courses d'Enfield samedi, plutôt à l'affût d'un bon portefeuille à voler que d'un cheval sur lequel parier. La journée était mauvaise, il n'espérait plus avoir aucune chance. Il s'est engagé sur la route de Chingside et s'est assis dans un fossé pour se reposer avant d'entrer dans le village. Quelques minutes plus tard, il a remarqué un homme se dirigeant vers le village : « Un aristo, le teint brun, la moustache épaisse. Fallait voir comment qu'il était fringué! Pas un riche cul-terreux, non, non... Rockefeller. Lord Mountbatten. Oh! le mec! Y puait la Rolls-Royce et le caviar à vingt mètres... »

« Kellett était à demi dissimulé par un tas de cailloux. Au moment d'arriver à sa hauteur, l'homme a jeté un coup d'œil furtif autour de lui et, la route lui semblant déserte, il a tiré de sa poche un petit objet qu'il a lancé par-dessus la haie. Puis il s'est dirigé vers la gare. L'objet qu'il avait jeté était tombé sur les cailloux avec un petit tintement qui avait éveillé la curiosité de l'homme assis dans le fossé. Il se mit à genoux dans l'herbe et ne tarda pas à découvrir la bague! Voici le récit de Kellett, mot pour mot. A mon avis, il a rencontré Davenheim dans le chemin et l'a assassiné pour le voler. »

Poirot secoua la tête.

— Bien improbable, mon ami. Il n'avait aucun moyen de se débarrasser du corps, on l'aurait découvert depuis. Deuxièmement : la manière dont il a ouvertement gagé la bague rend invraisemblable qu'il l'ait acquise par un meurtre. Troisièmement : ce genre de filou à la petite semaine est rarement un assassin. Quatrièmement : puisqu'il est en prison depuis samedi, ce serait une coïncidence trop forte qu'il soit capable de donner une description exacte de Lowen.

Japp fit un signe affirmatif.

— Je ne dis pas que vous n'ayez pas raison. Mais tout de même, vous ne voulez pas que des juges prennent au sérieux le témoignage d'un vulgaire voleur à la tire. Ce qui me paraît bizarre, c'est que Lowen n'ait pas trouvé un moyen plus habile de se débarrasser de la bague.

Poirot haussa les épaules.

— Mais pourquoi l'avoir enlevée du corps? m'écriai-je.

— Il peut y avoir une raison, dit Japp. Savez-vous que tout juste derrière l'étang, une petite porte s'ouvre sur les coteaux, et qu'en moins de trois minutes de marche vous arrivez, devinez où? à un puits de chaux vive.

— Seigneur! m'écriai-je. Croyez-vous que la chaux qui aurait détruit le corps serait incapable d'attaquer le métal de la bague?

— Exactement.

— Voilà qui explique tout, me semble-t-il. Quel crime horrible!

D'un commun accord nous nous retournâmes tous deux vers Poirot. Il soupira et, se tournant vers Japp, il demanda :

— Savez-vous, mon ami, si Mr. et Mrs. Davenheim occupaient la même chambre?

La question semblait si ridiculement hors de propos que pendant quelques instants nous nous regardâmes sans rien dire. Puis Japp éclata de rire.

— Sacré Poirot! Avec vous je m'attends toujours à quelque chose de génial. Je ne peux pas répondre à votre question pour l'excellente raison que je n'en sais rien.

— Ne pourriez-vous pas le savoir?

— Oh! si, probablement, si vous y tenez absolument.

— Merci, mon ami. Je vous serais reconnaissant si vous pouviez me fournir ce renseignement le plus vite possible.

Japp le considéra avec stupéfaction, mais Poirot semblait nous avoir oubliés tous les deux. Le policier secoua tristement la tête en me regardant et murmura : « Le pauvre vieux! La guerre lui a donné un rude coup! » Puis il se retira.

Comme Poirot semblait toujours plongé dans un rêve, je pris une feuille de papier et m'amusai à griffonner quelques notes. La voix de mon ami me fit sursauter. Il était sorti de sa méditation et semblait frais et dispos.

— Que faites-vous là, Hastings?

— J'étais en train de noter les points intéressants de cette affaire.

— Voilà que vous devenez enfin méthodique! dit Poirot d'un ton approbateur.

J'essayai de dissimuler ma satisfaction.

— Voulez-vous que je vous les lise?

— Allez-y...

J'éclaircis ma voix.

— Premièrement : de toute évidence, c'est bien Lowen qui a forcé le coffre. Deuxièmement : il en voulait à Davenheim. Troisièmement : il a menti en affirmant d'abord qu'il n'avait pas quitté le bureau. Quatrièmement : si vous acceptez l'histoire de Billy Kellett, Lowen ne peut manquer d'y être impliqué.

Je m'arrêtai. « Eh bien? » demandai-je, car je sentais que j'avais mis le doigt sur tous les faits essentiels.

Poirot me regarda avec pitié et secoua lentement la tête.

— Mon pauvre ami! Vous n'êtes vraiment pas doué. Le détail important, vous ne l'apercevez jamais! Aussi tout votre raisonnement tombe à l'eau.

— Comment ça?

— Laissez-moi exposer quatre points de base : d'abord Lowen ne pouvait pas savoir qu'il aurait l'occasion d'ouvrir le coffre. Il venait pour un entretien d'affaires. Il ne pouvait pas prévoir que Mr. Davenheim serait allé mettre une lettre à la poste et qu'il serait ainsi laissé seul dans le bureau.

— Il peut avoir saisi l'occasion, suggérai-je.

— Et les outils? Un citadin n'emporte pas avec lui des outils de cambrioleur sur une chance problématique! Et ce coffre n'a pas été ouvert avec la pointe d'un canif!

— Soit. Le second point?

— Vous dites que Lowen en voulait à Mr. Davenheim. Vous voulez dire qu'il a eu le dessus une ou deux fois. Il s'agissait probablement d'opérations lucratives. Habituellement, on n'en veut pas à un homme à qui on a pris de l'argent. C'est plus souvent le contraire qui se produit. S'il existait quelque ressentiment, ce serait plutôt du côté de Mr. Davenheim.

— Vous ne pouvez pas nier que Lowen ait menti en affirmant qu'il n'a pas quitté le bureau?

— Non, mais il peut avoir eu peur. Rappelez-vous : les vêtements du disparu venaient juste d'être découverts dans l'étang. Naturellement comme toujours, il aurait été inspiré de dire la vérité.

— Et le quatrième point?

— Celui-ci est pour vous : si le récit de Kellett est vrai, Lowen est forcément impliqué. C'est ce qui rend cette affaire tellement intéressante!

— Ainsi j'ai vraiment découvert un des points essentiels?

— Peut-être, mais vous avez complètement négligé les deux plus importants : ceux où se trouve, sans aucun doute, la clef de toute l'affaire.

— Et quels sont-ils, d'après vous?

— Premièrement : la passion qui s'est emparée de Mr. Davenheim depuis quelque temps pour les bijoux. Deuxièmement : son voyage à Buenos Aires, l'automne dernier.

— Poirot, vous vous moquez de moi?

— Je suis très sérieux au contraire. Ah! bon sang! pourvu que Japp n'oublie pas mon renseignement.

Mais le détective, acceptant la plaisanterie, s'était si bien souvenu que le lendemain vers onze heures, on apporta à Poirot un télégramme. Sur sa demande, je l'ouvris et lus :

« Le mari et la femme occupaient des chambres séparées depuis l'hiver dernier. »

— Ah! ah! s'écria Poirot, et maintenant nous sommes à la mi-juin. Le problème est résolu!

Je le regardai stupéfait.

— Vous n'avez pas d'argent à la banque *Davenheim & Salmon*, mon ami?

— Non, dis-je étonné. Pourquoi?

— Parce que je vous conseillerais de le retirer avant qu'il soit trop tard.

— Pourquoi? A quoi vous attendez-vous?

— Je prévois un énorme krach dans quelques jours, peut-être plus tôt. Ce qui me fait penser que nous devons à Japp la politesse d'une réponse télégraphique. Un crayon, s'il vous plaît, et une feuille de papier. Voilà : « Vous conseille retirer tout argent banque en question. » Voilà qui va intriguer ce bon Japp! Il va ouvrir de grands yeux. Il n'y comprendra rien jusqu'à demain ou après-demain.

Je demeurai sceptique mais le lendemain je fus obligé de rendre justice aux merveilleux pouvoirs de divination de mon ami. Dans tous les journaux était annoncée en lettres énormes, la faillite sensationnelle de la banque Davenheim. La disparition du financier prenait un aspect tout à fait différent à la lumière de la révélation des affaires financières de la banque.

Au milieu de notre déjeuner la porte s'ouvrit violemment et Japp entra en trombe. Il tenait dans la main gauche un journal et dans l'autre le télégramme de Poirot, qu'il jeta sur la table, devant mon ami.

— Comment avez-vous deviné, Poirot? Vous êtes sorcier, ou quoi?

Poirot souriait placidement.

— Ah! mon ami, après votre dépêche, ce fut une certitude. Depuis le commencement il m'a semblé que l'effraction du coffre était quelque chose d'extraordinaire. Des bijoux, de l'argent en billets, des lettres au porteur — tout cela si commode... trop commode! Il paraissait à peu près certain que tout était préparé d'avance. Et puis, sa manie récente d'acheter des bijoux, comme c'est simple! Les fonds qu'il acquérait, il les convertissait en bijoux, que très probablement, il remplaçait ensuite par des imitations. C'est ainsi qu'il mit en sûreté, sous un nom d'emprunt, une fortune considérable, pour en jouir le temps venu, quand on lui aurait laissé le chemin libre. Ses préparatifs terminés, il prend rendez-vous avec Lowen (qui a eu le tort dans le passé de contrarier une ou deux fois le grand homme), il perce un trou dans le coffre, donne l'ordre d'introduire le visiteur dans le bureau et quitte la maison pour aller où?

Poirot s'arrêta et étendit la main pour prendre un autre œuf à la coque. Il fronça les sourcils.

« Il est vraiment inconcevable », murmura-t-il, « que les poules pondent des œufs de grosseur différente. Quelle symétrie peut-on avoir sur sa table? On pourrait au moins les asseoir par tailles chez les crémiers! »

— Peu importent les œufs, dit Japp avec impatience. Que les poules pondent des œufs carrés si elles veulent! Dites-nous où est allé notre gaillard en quittant les Cèdres? Du moins si vous le savez...

— Bien sûr, je le sais. Il est allé droit dans sa cachette. Ah! ce Mr. Davenheim! Il peut y avoir quelques petits défauts dans ses cellules grises, mais elles sont de première qualité, on doit lui reconnaître ça.

— Où est-il caché? beugla Japp.

— Dans un endroit remarquablement ingénieux.

— Pour l'amour du Ciel, Poirot, dites-nous où!

Le détective rassembla soigneusement tous les débris de coquille d'œuf de son assiette, il les plaça dans le coquetier et retourna la coquille vide par-dessus. Cette petite opération terminée, il sourit, satisfait. Rayonnant, il se retourna avec bienveillance vers nous.

— Allons, mes amis, vous êtes des hommes

d'esprit, posez-vous la question que je me suis posée à moi-même : « Si j'étais à la place de cet homme, où me serais-je caché? » Hastings, répondez.

— Eh bien, je suis assez incliné à croire que je ne me serais pas caché du tout. Je serais resté à Londres, au cœur de la grande ville. J'aurais circulé en bus et en métro comme tout le monde. Il y a neuf chances sur dix pour que je n'aie pas été reconnu. On n'est nulle part plus en sûreté que perdu au milieu de la foule.

Poirot se retourna avec un regard interrogateur vers Japp.

— Je ne suis pas de cet avis. Disparaître loin tout de suite, voilà la seule chance de salut. J'aurais eu tout mon temps pour préparer ma fuite longtemps à l'avance, j'aurais frété un yacht qui m'aurait attendu sous pression au large des côtes anglaises, et j'aurais filé vers l'un des coins les plus reculés du monde avant même que l'alarme soit donnée.

Nous regardâmes Poirot.

— Et vous? Qu'est-ce que vous auriez fait?

Il garda le silence un instant. Un sourire étrange flottait sur ses lèvres.

— Mes amis, si je devais me cacher de la police, savez-vous où je me cacherais? En prison.

— C... Comment?

— Vous cherchez Mr. Davenheim pour le mettre en prison, vous n'aurez jamais l'idée de regarder s'il y est déjà.

— Vous me dites que Mrs. Davenheim n'est pas une femme très intelligente. Cependant si vous l'amenez à Bow Street et si vous la confrontez avec le dénommé Billy Kellett, elle le reconnaîtra, en dépit de sa barbe et de sa moustache rasées, de ses cheveux en broussaille et de ses vêtements minables. Une femme reconnaît toujours son mari, même quand le monde entier s'y trompe.

— Billy Kellett! Vous devenez fou, Poirot! Ne vous ai-je pas dit que Kellett est fiché à la Sûreté?

— Ne vous ai-je pas dit que Mr. Davenheim était un homme remarquablement intelligent? Il préparait son alibi depuis longtemps. Il n'était pas à Buenos Aires, l'automne dernier, il était en train de créer le personnage de Billy Kellett en se faisant condamner à trois mois de prison ferme de sorte que la police ne puisse avoir aucun doute le moment venu. Il jouait gros jeu, rappelez-vous : une fortune colossale en jeu en même temps que sa liberté. Cela valait bien la peine de subir quelques désagréments passagers. Seulement...

— Oui.

— Eh bien, ensuite il dut porter une fausse barbe et une perruque, il lui fallait refaire son propre personnage, vous voyez; et dormir avec une fausse barbe n'est pas facile, on peut être découvert. Il ne put pas courir le risque de continuer à partager la chambre de sa femme. Vous m'avez informé que depuis six mois, ou du moins depuis son prétendu retour de Buenos Aires, lui et Mrs. Davenheim occupent des chambres séparées. Alors je n'ai plus eu de doute. Tout cadrait parfaitement. Le jardinier qui croyait avoir revu son patron avait tout à fait raison. Davenheim est allé dans le hangar à bateaux, il a revêtu sa « tenue de route » qui, vous pouvez en être sûr, avait été soigneusement dissimulée du valet. Il a jeté ses vêtements dans le lac et a continué à poursuivre son plan en vendant la bague ouvertement; puis, en prenant une cuite et en se battant avec un docker dans un lieu public, il s'est fait mettre en sûreté dans le refuge de Bow Street, où personne ne pouvait avoir l'idée d'aller le chercher.

— In... incroyable! murmura Japp.

— Demandez à sa femme, dit mon ami en souriant.

Le lendemain une enveloppe recommandée était posée devant l'assiette de Poirot. Il l'ouvrit et un billet de cinq livres s'en échappa. Les sourcils de mon ami se froncèrent :

— Ah! sacrebleu!... qu'est-ce que je vais en faire! Ce pauvre Japp! Ah! une idée! Nous allons faire un bon petit dîner tous les trois, ça me consolera. C'était vraiment trop facile. J'ai honte d'avoir gagné si facilement. C'était comme arracher un bonbon à un enfant sans défense. Hastings, qu'est-ce que vous avez à rigoler ainsi?

UN INDICE DE TROP

(*THE DOUBLE CLUE*)

— Surtout... surtout, pas de publicité! répéta Marcus Hardman pour la vingtième fois peut-être.

Mr. Hardman était un petit homme potelé, aux mains extrêmement soignées et s'exprimant d'une voix plaintive de ténor enroué. Il passait pour une sorte de célébrité dans les cercles mondains auxquels il consacrait tout son temps. Il dépensait son confortable revenu en réceptions et en collectionnant les vieilles dentelles, les éventails et les bijoux anciens — rien de vulgaire ni de moderne.

Répondant à sa convocation urgente, Poirot et moi nous étions présentés chez le petit Mr. Hardman que nous avions trouvé dans un état d'agitation extrême. Il nous apprit qu'il n'avait pas su se résoudre à faire appel à la police, mais que vu les circonstances, ne pas agir aurait signifié qu'il acceptait la perte des joyaux de sa collection. Il avait finalement décidé de recourir à Poirot.

— Mes rubis, monsieur Poirot!... et le collier d'émeraudes qui a probablement appartenu à Catherine de Médicis. Oh! mon beau collier d'émeraudes!

Poirot avait interrompu ses gémissements en demandant d'une voix douce :

— Et si vous me relatiez les circonstances dans lesquelles ils ont disparu, Mr. Hardman?

— Et voilà! voilà! Hier après-midi, j'ai donné un thé... rien d'officiel, je n'avais réuni qu'une demi-douzaine d'amis. J'ai déjà eu l'occasion d'organiser une ou deux réunions de ce genre au cours de la saison et sans vouloir paraître vaniteux, je dois admettre qu'elles furent très réussies. Hier, j'avais engagé le pianiste Nacora et Katherine Bird, la contralto australienne. Ils nous donnèrent un merveilleux récital dans le grand studio. Au début de l'après-midi, j'ai montré à mes invités ma collection de joyaux moyenâgeux que je garde dans le coffre mural que vous voyez, là-bas.

L'intérieur a été aménagé et tendu de velours afin de mettre les pierres en valeur. Ensuite, ils admirèrent les éventails qui se trouvent dans cette vitrine contre le mur opposé puis, nous nous rendîmes dans le studio pour écouter de la musique. Ce n'est qu'après le départ de mes invités que j'ai constaté le vol. J'ai dû omettre de m'assurer si le coffre était bien fermé et quelqu'un a profité de ma négligence pour dérober son contenu. Une collection unique, monsieur Poirot! Que ne donnerais-je pour la récupérer! Mais souvenez-vous, je ne veux aucune publicité! Comprenez, monsieur Poirot, il s'agit de mes invités, mes amis intimes! L'affaire pourrait tourner au scandale.

— Avez-vous remarqué la dernière personne qui a quitté cette pièce lorsque vous vous êtes tous rendus dans le studio?

— Mr. Johnston, le millionnaire sud-africain. Peut-être le connaissez-vous? Il vient juste de louer la maison Abbotbury dans Park Lane. Je me souviens qu'il s'est attardé quelques minutes derrière nous. Mais, il est impossible que ce soit lui le voleur, voyons!

— Quelqu'un d'autre est-il revenu dans

cette pièce sous un prétexte quelconque au cours de l'après-midi?

— J'y ai réfléchi, monsieur Poirot. Trois sont revenus. La comtesse Vera Rossakoff, Mr. Bernard Parker et Lady Runcorn.

— Que savez-vous d'eux?

— La comtesse Rossakoff est une Russe et une femme charmante qui a connu l'Ancien Régime. Elle vit en Angleterre depuis peu. Hier, après qu'elle m'ait dit au revoir, j'ai eu la surprise de la retrouver ici, apparemment en extase devant ma collection d'éventails. Plus j'y pense et plus je trouve l'incident bizarre. Quelle est votre opinion, monsieur Poirot?

— Je trouve effectivement son attitude bizarre. Passons aux deux autres, voulez-vous?

— Eh bien! Parker est venu chercher une cassette de miniatures que je désirais montrer à lady Runcorn.

— Qui est cette dame, s'il vous plaît?

— Lady Runcorn est douée d'une grande force de caractère et son dévouement envers diverses œuvres de charités est bien connu. Elle est simplement venue récupérer son sac qu'elle avait oublié sur un siège.

— Parfait, monsieur. Nous avons donc quatre suspects possibles : la comtesse russe, la grande dame anglaise, le millionnaire sud-africain et Mr. Bernard Parker. Au fait, qui est Mr. Parker?

La question parut embarrasser Mr. Hardman qui répondit en hésitant :

— C'est un jeune homme... un jeune homme que je connais.

— Je m'en doute bien. Que fait-il au juste, ce jeune homme?

— C'est un homme du monde... et, si je puis me permettre l'expression, assez « dans le vent ».

— Puis-je savoir comment il est parvenu à s'intégrer dans votre cercle d'amis?

— Eh bien!... heu... une ou deux fois il a eu l'occasion de se charger pour moi de certaines commissions.

— Continuez, monsieur.

Hardman serra nerveusement ses mains. De toute évidence, la dernière chose qu'il voulait, était satisfaire la curiosité de son interlocuteur. Mais, comme Poirot gardait un silence inexorable, il fut bien obligé de capituler.

— Vous n'ignorez pas que j'ai la réputation

d'être un collectionneur de joyaux anciens. Parfois, il se trouve qu'un objet de famille doive être vendu — mais sans passer entre les mains du public ou d'un revendeur. Ma position me donne le privilège d'arranger certaines ventes privées. Parker s'occupe pour moi des détails financiers et se met en rapport avec l'acheteur éventuel, évitant ainsi le moindre souci aux intéressés. Par exemple, la comtesse Rossakoff qui a apporté ses bijoux de Russie avec l'intention de les vendre s'en remettra à Parker pour lui trouver un acquéreur.

— Je vois. Vous lui accordez toute votre confiance, à ce jeune homme?

— Je n'ai jamais eu, jusqu'ici, la moindre raison de me plaindre de lui.

— Mr. Hardman, de ces quatre personnes, laquelle suspectez-vous?

— Oh! Monsieur Poirot, quelle question! Ce sont mes amis, comme je vous l'ai déjà dit. Je ne suspecte aucun d'entre eux... ou tous, à vous de choisir la formule qui vous convient le mieux.

— Permettez. Vous en suspectez certainement un. Or ce n'est ni la comtesse Rossakoff, ni Mr. Parker. C'est donc Lady Runcorn, ou Mr. Johnston, peut-être?

— Vous m'acculez, monsieur Poirot. Je suis extrêmement soucieux d'éviter tout scandale. Lady Runcorn appartient à l'une des plus vieilles familles anglaises; mais il est notoire, malheureusement, que sa tante, lady Caroline, était atteinte d'une infirmité des plus fâcheuses. Tous ses amis en avaient naturellement connaissance et sa domestique retournait toujours les objets emportés par mégarde. — Il soupira. — Vous réalisez à quel point je me trouve dans une situation délicate!

— Ainsi, lady Runcorn avait une tante kleptomane. Mmmm... Intéressant... Vous permettez que j'examine le coffre mural?

Mr. Hardman hocha la tête et Poirot poussa la porte métallique pour inspecter le trou béant.

— Je me demande pourquoi cette porte a du mal à se refermer, murmura-t-il en actionnant le battant. Ah! qu'est-ce que c'est? Un gant, pris dans la charnière. Un gant d'homme.

Il le montra à Hardman qui répondit aussitôt :

— Il n'est pas à moi.

— Tiens, je vois aussi autre chose.

Il plongea la main dans l'ouverture du coffre et en sortit un petit étui à cigarettes.

— Mon étui à cigarettes!

— Je ne le pense pas, monsieur, car ce ne sont pas là vos initiales.

Il indiqua deux lettres entrelacées et gravées.

— Vous avez raison. L'étui ressemble au mien, mais les initiales sont différentes. « P » et « B » grand Dieu... Parker!

— Apparemment, oui. Ce jeune homme est bien imprudent. Si le gant lui appartient aussi, il nous fournit deux indices.

— Bernard Parker! souffla Hardman. Ma foi, je dois avouer que cette révélation me soulage. Monsieur Poirot, je vous laisse le soin de retrouver les bijoux. Si vous le jugez nécessaire, remettez l'affaire entre les mains de la police... à condition que vous soyez certain que Parker est bien le coupable.

— Vous avez remarqué, mon ami, me confia Poirot, alors que nous quittions le domicile du collectionneur, que ce Mr. Hardman reconnaît une loi pour le noble et une autre pour l'homme du commun. Moi-même, n'ayant pas encore été anobli, je sympathise avec l'homme du commun — en l'occurrence Mr. Parker. Toute cette affaire est bien curieuse ne trouvez-vous pas? Hardman suspecte Lady Runcorn. Personnellement mes soupçons se porteraient sur la comtesse et sur Johnston, or, l'obscur Parker est notre coupable.

— Pourquoi suspectiez-vous les deux autres?

— Parbleu! Il est tellement facile de se donner les titres de comtesse russe et de millionnaire sud-africain. Qui irait contredire l'un ou l'autre? A propos, nous nous trouvons juste dans Bury Street où loge notre trop négligent ami. Si nous battions le fer pendant qu'il est chaud?

Un domestique nous apprit que Mr. Bernard Parker était chez lui. Nous le trouvâmes étendu sur des coussins, drapé dans une robe de chambre pourpre et orange. Tout de suite, j'éprouvai une vive antipathie à l'égard de ce jeune homme au visage pâle, efféminé, s'exprimant avec un zézaiement affecté.

Poirot passa à l'attaque sans attendre.

— Bonjour, monsieur. Je viens de chez Mr. Hardman. Hier, au cours de l'après-midi, quelqu'un a volé tous ses bijoux. Permettez-moi de vous demander, monsieur... est-ce là votre gant?

Mr. Parker devait avoir l'esprit lent. Il regarda fixement l'objet comme s'il cherchait à rassembler ses idées.

— Où l'avez-vous trouvé?

— Est-ce votre gant, monsieur?

— Non, ce n'est pas le mien.

— Et cet étui à cigarettes?

— Certainement pas. Le mien est en argent.

— Très bien, monsieur. Je vais de ce pas confier l'affaire aux soins de la police.

— A votre place, je n'en ferais rien. Ces gens-là sont affreusement curieux. J'irais trouver le vieux Hardman, hé, monsieur... attendez un peu!

Mais Poirot battait déjà en retraite.

Dans la rue, il me confia avec un rire étouffé :

— Nous lui avons donné de quoi méditer. Demain, nous observerons la tournure qu'auront pris les événements.

*
* *

Au cours de l'après-midi, nous devions découvrir du nouveau sur l'affaire Hardman. Une silhouette froufroutante, surmontée d'un gigantesque chapeau, s'encadra sur le seuil de notre retraite, laissant pénétrer un tourbillon de vent (il faisait un froid comme seul un mois de juin anglais peut en connaître). Nous réalisâmes vite que la comtesse Rossakoff était une personnalité perturbatrice.

— Vous êtes Hercule Poirot?... Elle prononçait : *poirrrrot.* « Misérrable! Qu'avez-vous fait? Accuser ce pauvre garçon! C'est oune infamie, oune scandale! Bernard est oune ange, oune agneau... qui ne volerait jamais rien. Il a tant fait pour moi. Et il faudrait que je reste là à le regarder martyriser, massacrer, comme le prince Zatkhoune sous les poignards des bolcheviks! »

— Madame, est-ce son étui à cigarettes?

Poirot lui montra l'objet trouvé dans le coffre cambriolé.

Elle l'examina en silence, puis :

— Oui, c'est bien le sien. Je le reconnais. Et alors? Vous l'avez ramassé chez Mr. Hardman? Nous nous y trouvions tous. J'imagine qu'il l'aura laissé tomber. Ah! vous autres policiers, vous êtes pires que la N.K.V.D.

— Et, est-ce son gant? madame.

— Comment voulez-vous que je le sache? Un gant est semblable à un autre gant. N'essayez pas de me barrer la route... je veux qu'il soit innocenté! Sa réputation doit être lavée de tout soupçon. Vous allez vous occuper de lui, n'est-ce pas? Je vendrai tous mes bijoux et vous donnerai beaucoup d'argent.

— Madame...

— C'est décidé! J'ai dit! Non, non, ne protestez pas! Lé pauvré garçon! Il est venu à moi les yeux remplis de larmes. « Je vous sauverai » j'ai promis. « J'irai trouver cet homme... cet ogre, ce monstre! Laissez faire Vera. » A présent, c'est convenu, je m'en vais rassurée avé votre promesse de gentilhomme.

Elle disparut comme elle était venue, laissant un sillage de parfum exotique sur son passage.

— Quelle femme! m'exclamai-je. Vous avez vu ces fourrures!

— Oui, elles sont naturelles. Une fausse comtesse porterait-elle de vraies fourrures?

Une petite devinette, Hastings. Je crois qu'elle est réellement russe. Ainsi, Mr. Bernard est allé pleurnicher auprès d'elle. L'étui à cigarettes lui appartient donc bien. Je me demande si le gant...

Avec un sourire, Poirot sortit de sa poche un deuxième gant qu'il plaça près du premier. Ils complétaient la même paire.

— Où avez-vous découvert le second, Poirot?

— Il était abandonné sur un guéridon, près d'une canne, dans le hall de Bury Street. Ce Mr. Parker est vraiment un jeune homme très prudent. Ma foi, mon ami... Nous touchons au terme de cette histoire. Pour la forme, je vais rendre une petite visite à Park Lane.

Inutile de dire que j'accompagnai mon ami. Johnston n'était pas chez lui, mais son secrétaire privé nous apprit sans la moindre réticence que son patron venait d'arriver tout récemment d'Afrique du Sud et que c'était la première fois qu'il visitait l'Angleterre.

— Il s'intéresse aux pierres précieuses, je crois, hasarda Poirot.

Dans un éclat de rire, le secrétaire répliqua :

— Dites plutôt aux mines d'or!

Poirot sortit de l'entretien, pensif. Tard dans la soirée, je le trouvai plongé dans la lecture d'une grammaire russe.

— Grand Dieu, Poirot! Apprenez-vous le russe dans le but de converser avec la comtesse dans sa langue natale?

— Je dois dire qu'elle ne prête pas grande attention à mon anglais.

— Mais les Russes de bonne famille parlent parfaitement le français, voyons!

— Hastings, vous êtes une source d'informations inépuisable. J'arrête donc de bûcher sur les complexités de l'alphabet russe.

Il rejeta le livre avec un geste théâtral. Je n'étais cependant pas entièrement rassuré, car je voyais une lueur que je connaissais bien briller sournoisement au fond de son regard. C'était là un signe incontestable : Hercule Poirot était content de lui.

— Peut-être, fis-je d'un ton qui se voulait averti, doutez-vous qu'elle soit vraiment russe. Vous allez la mettre à l'épreuve?

— Non, non, je ne doute pas de sa nationalité.

— Mais, alors...

— Si vous voulez vraiment vous distinguer dans cette affaire, Hastings, je vous recommande *les Rudiments syntaxiques de la langue russe*, un recueil d'une valeur inestimable.

Il émit un petit rire étouffé et refusa de préciser sa pensée. Je ramassai le bouquin délaissé et le feuilletai sans y dénicher la réponse à l'énigme que me proposait Poirot.

Le matin suivant ne nous apporta aucune nouvelle. Cela ne parut pas contrarier mon ami qui, après le petit déjeuner, dit son intention de rendre visite à Mr. Hardman au cours de la matinée. Nous nous présentâmes donc chez le vieux papillon des soirées mondaines qui nous parut plus calme que nous ne l'avions laissé la veille.

— Eh bien! Monsieur Poirot, vous avez découvert une piste?

Le petit détective lui tendit un billet.

— Voici le nom de la personne qui a pris vos bijoux, monsieur. Dois-je placer l'affaire entre les mains de la police? Ou préférez-vous que je récupère votre bien sans en informer les autorités?

Hardman fixait le morceau de papier, ahuri.

Lorsqu'il fut remis de sa surprise, il déclara vivement :

— Je préfère éviter le scandale. Je vous donne carte blanche, monsieur Poirot. Je ne doute pas que vous agirez avec discrétion.

Dehors, Poirot héla un taxi et pria le chauffeur de nous conduire au Carlton. Là, il demanda à voir la comtesse Rossakoff et quelques instants plus tard, un groom nous guidait vers son appartement. Drapée dans un ravissant négligé orné de motifs bariolés, la Russe s'avança vers nous les mains tendues.

— Monsieur Hercule! Vous avez réussi? Vous avez lavé cé pauvré enfant de tout soupçon ignoble?

— Madame la comtesse, votre ami Mr. Parker n'a rien à craindre de la police.

— Vous êtes oun petite bonhomme merveilleux!

— D'un autre côté, madame la comtesse, j'ai promis à Mr. Hardman que ses bijoux lui seraient restitués aujourd'hui même.

— Et alors?

— Alors, madame, je vous serais très obligé si vous vouliez bien me les remettre sans délai. Je regrette de devoir vous presser, mais un taxi m'attend... pour le cas où je devrais me rendre à Scotland Yard. Nous autres, Belges, sommes économes de nature. Je ne voudrais pas que le compteur tourne trop longtemps.

La comtesse avait allumé une cigarette. Un moment, elle resta figée sur son siège, exhalant des bouffées de fumée en observant Poirot. Soudain, elle éclata de rire et, se levant, se dirigea vers son secrétaire d'où elle tira un petit sac de soirée noir. Elle le lança à Poirot. D'un ton badin, et parfaitement assurée, elle annonça :

— Nous autres, Russes, pratiquons au contraire la prodigalité. Malheureusement, pour cela il faut être riche. Inutile de vérifier, les bijoux sont tous là.

Poirot se leva.

— Je vous félicite pour votre intelligence et votre promptitude, madame.

— Je n'ai pas lé choix, du fait qu'un taxi vous attend.

— Vous êtes trop aimable. Avez-vous l'intention de rester longtemps à Londres?

— Hélas, non... à causé de vous, affreux petite bonhomme.

— Veuillez accepter mes excuses.

— Nous nous reverrons ailleurs... peut-être.

— Je l'espère.

— Moi pas! s'exclama-t-elle en riant. Je vous fais là un grand compliment, monsieur Poirot, car le monde compte bien peu d'hommes que je redoute de rencontrer. Au revoir, monsieur Poirrrrot!

— Au revoir, madame la comtesse. Ah!... Excusez-moi, j'allais oublier! Permettez-moi de vous rendre votre étui à cigarettes.

S'inclinant, il lui tendit le petit étui. Elle l'accepta sans aucune hésitation — un simple froncement de sourcils et ce mot murmuré à voix basse : « Nitchevo. »

— Quelle femme! s'écria Poirot avec enthousiasme, alors que nous descendions les escaliers. Seigneur Dieu, quelle femme! Pas un mot de protestation... de bluff. Un seul coup d'œil et elle a réalisé le sérieux de la situation. Je vous le dis, Hastings, une femme qui peut accepter aussi facilement une défaite, avec un tel sourire d'indifférence, ira loin! Elle est dangereuse, elle a des nerfs d'acier, elle...

Il buta contre une marche et manqua s'étaler.

— Essayez de modérer vos transports pour regarder où vous allez, Poirot. Quand avez-vous commencé à suspecter la comtesse?

— Mon ami, le gant et l'étui à cigarettes — le double indice, dirons-nous — me tourmentaient. Bernard Parker aurait facilement pu égarer l'un ou l'autre, mais les deux... non, cela aurait été trop étourdi! D'autre part, si quelqu'un les avait placés là pour incriminer le garçon, un seul aurait suffi, l'étui à cigarettes ou le gant... à nouveau, pas les deux. J'en ai donc conclu que l'un des deux objets n'appartenait pas à Parker. Tout d'abord, j'ai cru que c'était le gant, mais lorsque j'ai découvert chez lui le frère de celui que nous avions trouvé, j'ai dû me rendre à l'évidence. Alors, à qui appartenait l'étui à cigarettes? Pas à lady Runcorn, les initiales ne correspondaient pas aux siennes. Mr. Johnston? Il aurait fallu qu'il soit venu en Angleterre sous un nom d'emprunt. En interrogeant son secrétaire, j'ai tout de suite compris que rien ne clochait de ce côté. Le garçon n'a pas cherché à protéger le passé de son patron. La comtesse? Elle avait, paraît-il, apporté ses bijoux de Russie avec l'intention de les vendre. Une fois les pierres retirées de leurs montures, il aurait été bien difficile de prouver qu'elles provenaient du coffre de Mr. Hardman. Il lui aurait été facile d'escamoter un gant de Parker et de l'abandonner dans le coffre après son larcin. Mais bien sûr, elle n'avait nullement l'intention d'y laisser son étui à cigarettes!

— Pourtant si l'étui est à elle, pourquoi porte-t-il les lettres « B.P. »? Ses initiales sont « V.R. ».

Poirot m'adressa un sourire de commisération.

— En effet, mon ami, mais dans l'alphabet russe, B est V et P est R.

— Vous ne pouviez quand même pas espérer que je le devine! Je ne connais pas le russe!

— Moi non plus, Hastings. C'est pour cela que j'ai consulté ma petite grammaire... et vous ai recommandé d'y jeter un coup d'œil.

Il soupira.

— Cette comtesse est une femme remarquable. J'ai le sentiment, mon ami — presque la certitude — que je la rencontrerai de nouveau. Où? Je me le demande...

Il haussa les épaules : « Nitchevo. »

LE GUEPIER

(WASPS' NEST)

John Harrison sortit sur la terrasse et contempla un moment le jardin qui s'étalait à ses pieds. Un homme puissant au visage émacié et de teint verdâtre. Habituellement, il affichait une mine sévère, mais lorsque, comme en cet instant, ses traits s'adoucissaient dans un sourire, il dégageait beaucoup de charme.

John Harrison aimait son jardin, plus beau que jamais en cette tiède soirée d'août. Les rosiers grimpants étaient superbes, les pois de senteurs embaumaient l'air.

Un grincement fit se retourner le rêveur. Qui venait de pousser la barrière du jardin? Une minute plus tard, le visage d'Harrison reflétait un profond étonnement, car le personnage vêtu en dandy qui s'avançait vers lui était bien le dernier qu'il s'attendait à rencontrer en cet endroit.

— Monsieur Poirot! Quelle heureuse surprise!

Il s'agissait bien, en effet, du fameux Hercule Poirot dont la réputation était connue du monde entier.

— Oui, c'est moi. Vous m'avez dit un jour : « Si vous passez dans la région, venez me voir. » Je vous ai pris au mot... me voici.

— J'en suis ravi! s'exclama spontanément Harrison. Asseyez-vous et prenez un verre.

Il montra sous la véranda une table supportant diverses bouteilles.

Poirot se laissa tomber dans un fauteuil d'osier.

— Merci. Vous n'avez pas de sirop? Non? pas d'importance. Je prendrai un peu de soda — sans whisky. Il ajouta avec dépit, tandis que son hôte plaçait un verre à sa portée : Hélas! mes moustaches sont molles. Cela vient de la chaleur.

— Qu'est-ce qui vous amène dans ce coin tranquille? Un voyage d'agrément?

— Non, mon ami, je poursuis une enquête.

— Dans cet endroit isolé?

— Mais oui. Tous les méfaits ne sont pas commis au milieu de la foule, vous savez.

Son interlocuteur rit.

— Ma remarque était stupide. Sur quel crime enquêtez-vous par ici... à moins que ce ne soit une question qu'on ne doive pas poser?

— Si, si, je préfère que nous en parlions.

Intrigué, Harrison contempla le détective.

— L'affaire est-elle sérieuse?

— Des plus sérieuses.

— Vous voulez dire...

— Il s'agit d'un meurtre.

Le ton d'Hercule Poirot frappa Harrison et le regard qu'il fixait sur lui le déconcerta. Il dut s'imposer un effort pour articuler :

— Je n'ai cependant pas entendu parler de meurtre dans mon entourage.

— Cela ne me surprend pas.

— Qui a été assassiné?

— Jusqu'à présent, personne...

— Je ne comprends pas.

— ...Ce qui explique votre ignorance. J'enquête sur un crime pas encore perpétré.

— Impossible!

— Pas du tout. S'il m'est donné de découvrir la preuve qu'un crime va être commis, c'est certainement préférable, car alors, j'ai de grandes chances de le prévenir.

— Voyons, monsieur Poirot, je ne comprends pas. Un crime dans ce patelin? C'est absurde!

— Mais inévitable... à moins que nous n'agissions à temps.

— Nous?

— Je vais avoir besoin de votre aide.

A nouveau Poirot le fixa avec insistance et Harrison se troubla sans qu'il sût pourquoi.

— Je suis ici, monsieur Harrison, parce que... parce que vous m'êtes sympathique. — Il ajouta en indiquant un arbre dans le jardin : Je vois que vous avez un guêpier, là-bas. Vous devriez le détruire.

Ce brusque changement de conversation surprit Harrison qui fronça le sourcil. Il suivit le regard du détective.

— C'est exactement ce que j'ai l'intention de faire... ou plutôt, le jeune Langton s'en chargera à ma place. Vous vous souvenez de Claude Langton? Il se trouvait au repas au cours duquel nous avons fait connaissance. Il m'a proposé de venir me débarrasser du nid ce soir. A l'entendre, il est habitué à ce genre de travail.

— Comment s'y prendra-t-il?

— Il arrosera le nid d'essence, à l'aide d'une seringue de jardin. Il apportera sa propre seringue, la mienne étant trop petite.

— Il y a un autre moyen, le cyanure de potassium.

— Je sais, mais il n'est pas très prudent de garder ce produit chez soi.

— C'est en effet un poison mortel. — Il resta un moment silencieux puis répéta : Un poison mortel.

— Très utile pour se débarrasser de sa belle-mère, hé?

Il rit. Poirot ne l'imita pas.

— Vous êtes certain que Mr. Langton va détruire votre nid de guêpes avec de l'essence?

— Absolument, pourquoi?

— Cet après-midi, je me trouvais chez le pharmacien de Barchester où, pour un achat, j'ai dû signer le livre des poisons et j'y ai remarqué la dernière inscription. Il s'agissait de cyanure de potassium acheté par Claude Langton.

— Langton m'a pourtant affirmé qu'il ne toucherait jamais à ce produit dont il désapprouvait l'emploi pour la destruction d'un guêpier.

Poirot contempla les roses. D'une voix neutre, il s'enquit :

— Eprouvez-vous de la sympathie pour Langton?

La question surprit Harrison qui bégaya :

— Je... ma foi... naturellement. Pourquoi?

— Simple curiosité.

Comme son interlocuteur ne répondait pas, il poursuivit :

— Je me demande s'il est animé du même sentiment à votre égard?

— Où voulez-vous en venir, monsieur Poirot? Vous avez une idée derrière la tête.

— Je vais être franc. Vous êtes fiancé à Miss Molly Deane, une jeune personne charmante et extrêmement jolie. Avant vos fiançailles, elle était sûr le point d'épouser Claude Langton qu'elle a laissé tomber pour vous.

Harrison approuva d'un signe de tête.

— Je ne cherche pas à m'expliquer ses raisons — elles sont probablement justifiées — mais il n'est pas exagéré de supposer que Langton n'a ni oublié ni pardonné.

— Je vous jure que vous faites fausse

route, monsieur Poirot. Langton a réagi en sportif. Il s'est étonnamment bien conduit et m'a même conservé son amitié.

— Et cela ne vous semble pas étrange? Vous avez employé le mot « étonnamment » cependant vous ne paraissez pas étonné.

— Que voulez-vous dire?

— Un homme peut très bien dissimuler sa haine jusqu'au moment qu'il jugera propice.

— Sa haine? — Harrison hocha la tête et sourit.

Le petit détective s'emporta :

— Les Anglais sont stupides! Ils s'imaginent qu'ils détiennent le pouvoir de tromper tout le monde, mais que personne ne peut leur rendre la pareille. Le sportif... le bon type... ils ne penseront jamais le moindre mal de lui. Et parce qu'ils sont braves et stupides, ils meurent inutilement.

— Vous essayez de me prévenir... Je comprends à présent... Vous êtes venu ici dans le but de me mettre en garde contre Claude Langton.

Poirot inclina la tête et son vis-à-vis se dressa d'un bond.

— Vous commettez une grave erreur de jugement, monsieur Poirot. Nous sommes en Angleterre et ici, les prétendants malchanceux ne plantent pas de couteau dans le dos de leurs rivaux heureux, ni ne s'abaissent à les empoisonner. Vous vous méprenez totalement sur le compte de Langton. Ce garçon ne ferait pas de mal à une mouche.

— La vie des mouches ne me concerne en rien, toutefois alors que vous soutenez que Mr. Langton ne tuerait pas une mouche, il se prépare, ce soir même, à détruire des milliers de guêpes.

Harrison ne répondit pas. A son tour, le petit détective se leva et vint poser une main sur l'épaule de son ami. Il se trouvait dans une agitation telle qu'il secoua presque l'homme de haute stature.

— Réveillez-vous, mon ami, réveillez-vous et regardez, là-bas sur le glacis, à l'abri de ce tronc d'arbre. Vous voyez, les guêpes regagnant leur domaine, calmes et somnolentes après leur journée de travail? Dans un peu moins d'une heure, leur domaine sera détruit et pourtant, elles ne soupçonnent rien. Personne n'est là pour les avertir; apparemment, elles n'ont pas un Hercule Poirot. Je vous le dis, monsieur Harrison, le crime est mon affaire — avant ou après qu'il ait été perpétré. A quelle heure Mr. Langton vient-il pour détruire le nid de guêpes?

— Langton n'irait jamais...

— A quelle heure?

— Neuf heures. Mais je maintiens que vous vous trompez, Langton n'irait jamais...

— Ces Anglais!

Poirot saisit son chapeau et sa canne et s'en fut le long de l'allée, s'arrêtant à mi-chemin pour remarquer :

— Je ne reste pas pour discuter de cette affaire plus avant. Cela ne pourrait que m'exaspérer. Mais soyez persuadé que je reviendrai à neuf heures.

Harrison ouvrit la bouche mais le détective ne lui laissa pas le temps de parler.

— Je sais ce que vous allez dire : « Langton ne ferait jamais une chose pareille » etc., etc. Ah!... il n'oserait pas! N'empêche que je reviens à neuf heures. Cela m'intéressera beaucoup de voir détruire un guêpier. Un autre de vos sports anglais, j'imagine!

Sans attendre de réponse, il reprit sa marche et poussa la barrière qui grinçait. Une fois sur la route, son pas ralentit. Sa vivacité disparut, son visage se fit grave et tourmenté. Il tira sa montre de sa poche : huit heures dix.

— Un peu plus de trois quarts d'heure à attendre, murmura-t-il. Je me demande si je n'aurais pas été mieux inspiré de rester.

Il s'arrêta, sur le point de tourner les talons. Un vague pressentiment l'assaillit. Il reprit sa marche vers le village. Cependant, son expression anxieuse ne le quitta pas et une ou deux fois, il hocha la tête comme un homme à demi-satisfait.

Un peu avant neuf heures, il se retrouvait à proximité de la propriété de son ami. La soirée était claire, calme; aucune brise n'agitait les feuilles des arbres. Il y avait quelque chose de sinistre dans l'immobilité ambiante, un peu comme l'accalmie qui précède un orage.

Poirot pressa le pas. Il se sentait soudain inquiet et incertain... craignant, il ne savait trop quoi.

Et à ce moment, la barrière fut poussée et Claude Langton apparut, avançant à grandes enjambées. Il sursauta en apercevant Poirot.

— Oh! heu... bonsoir.

— Bonsoir, monsieur Langton. Vous êtes en avance.

— Je vous demande pardon?

— Vous avez détruit le nid de guêpes?

— Ma foi... non.

— Oh!... Qu'avez-vous donc fait?

— J'ai bavardé un moment avec le vieux Harrison. Il faut absolument que je me dépêche, à présent. Je ne savais pas que vous demeuriez dans la région, monsieur Poirot.

— J'y ai une affaire à régler.

— Ah? Eh bien, vous trouverez Harrison sur la terrasse. Excusez-moi, je ne puis rester davantage.

Il s'éloigna à pas pressés. Poirot observa sa silhouette qui allait disparaître. Un jeune homme nerveux, beau garçon mais à la bouche molle!

— Ainsi, je trouverai Harrison sur la terrasse. Je me le demande...

Il passa la barrière et remonta l'allée. Harrison, assis près de la table, sous la véranda, ne bougeait pas. Il ne tourna même pas la tête à l'approche de Poirot.

— Ah! Mon ami. Vous êtes sain et sauf, hé?

Au bout d'un long silence, Harrison s'enquit d'une voix étrange :

— Que disiez-vous?

— J'ai dit : vous êtes sain et sauf?

— Sain et sauf? Oui. Pourquoi ne le serais-je pas?

— Vous ne ressentez pas d'effets pernicieux? J'en suis ravi.

— De quoi parlez-vous?

— De carbonate de soude.

Harrison se redressa brusquement.

— Carbonate de soude? Que signifient vos paroles?

Le petit détective eut un geste d'excuse.

— Je regrette infiniment, mais j'en avais mis dans votre poche.

— Mais enfin, dans quel but?

Devant son interlocuteur ahuri, Poirot annonça d'un ton posé tel un professeur lisant une leçon difficile à un élève :

— Vous voyez, un des avantages ou désavantages d'être détective est que l'on est mis en contact avec les criminels. Et ces personnages peuvent nous apprendre des choses assez curieuses, très intéressantes. J'ai rencontré un jour un pickpocket qui, pour une fois, n'avait pas commis le méfait dont on l'accusait. Ayant réussi à prouver son innocence, il me remercia de la seule façon qu'il connaissait, en m'apprenant des trucs de sa profession.

Et de ce fait, j'ai acquis le don de fouiller les poches de la victime que je choisis sans que cette dernière se doute de quoi que ce soit. Je pose une main sur son épaule, je m'agite, je crie et il ne réalise rien. Je sais aussi faire passer le contenu de sa poche dans mon propre vêtement en le remplaçant par autre chose — dans le cas présent, du bicarbonate de soude.

Vous voyez — continua-t-il d'un ton rêveur — si un homme désire mettre facilement la main sur du poison avec l'intention de le verser dans un verre sans être remarqué, il le garde nécessairement dans la poche droite de son veston. Ayant abouti à cette conclusion, je n'eus aucun mal à réussir mon petit escamotage.

Il sortit de sa poche quelques grains de cristaux blancs qu'il contempla en murmurant :

— Il est extrêmement imprudent de transporter du cyanure de potassium de cette manière.

Calmement, il sortit d'une autre de ses poches une bouteille à large goulot dans laquelle il laissa tomber les cristaux, remplit le flacon d'eau, le boucha et le secoua jusqu'à ce que les petits grains blancs se soient dissouts. Harrison observait son manège, fasciné.

Satisfait du résultat, Poirot alla près de l'arbre qui abritait le nid. Il déboucha la bouteille, tourna la tête et versa le liquide dans le guêpier, puis se reculant d'un pas, il observa la scène.

Quelques guêpes qui regagnaient le seuil de leur domaine furent agitées d'un soubresaut et tombèrent foudroyées. D'autres sortirent du trou en rampant, pour mourir aussitôt. Poirot hocha la tête et revint sous la véranda.

— Une mort rapide, remarqua-t-il simplement.

Harrison retrouva l'usage de la parole pour questionner :

— Que savez-vous, au juste?

— Comme je vous le disais, j'ai remarqué le nom de Claude Langton sur le livre des poisons. Ce que je ne vous ai pas confié, c'est qu'un peu plus tard, je le rencontrai par hasard. Il m'apprit qu'il avait acheté du cyanure de potassium sur votre demande — pour détruire un nid de guêpes. Cela m'étonna un peu, me rappelant qu'au dîner dont vous parliez, vous aviez vanté les mérites de l'essence et réprouvé l'emploi du cyanure de potassium, trop dangereux, à votre avis.

— Continuez.

— J'ai observé Claude Langton et Molly Deane alors qu'ils se croyaient à l'abri des regards indiscrets. Je ne sais sur quelle querelle d'amoureux ils s'étaient brouillés et ce qui poussa la jeune fille à se jeter dans vos bras, mais à les voir, j'ai tout de suite compris que la mésentente était oubliée et que Miss Deane revenait à son amour.

— Et puis?

— Je savais encore autre chose, mon ami. Récemment de passage dans Harley Street, je vous ai aperçu alors que vous sortiez de chez un médecin dont je connais la spécialité. J'ai vu l'expression que reflétait votre visage; je ne l'ai remarquée qu'une fois ou deux dans ma vie. Pourtant, je ne puis l'oublier. Vous ressembliez à un homme qui vient d'entendre sa condamnation à mort. Je ne me trompe pas?

— Il m'a donné deux mois.

— Vous ne m'avez pas reconnu, parce que vous aviez d'autres idées en tête. J'ai lu encore dans votre regard, un sentiment que les hommes cherchent généralement à dissimuler : la haine. Vous, vous ne cherchiez pas à la dissimuler, car vous ne vous saviez pas observé.

— Continuez.

— Il n'y a plus beaucoup à dire. Passant aujourd'hui dans la région, j'ai remarqué par hasard le nom de Langton dans le livre du pharmacien et, comme je vous le disais, je l'ai rencontré avant de vous rendre visite. Je vous ai tendu des pièges, vous avez nié avoir demandé à Langton d'acheter du cyanure, ou plutôt vous avez joué la surprise. Ma visite vous a, tout d'abord, déconcerté, mais bien vite vous avez réalisé à quel point mon témoignage arrangeait les choses et vous avez encouragé mes soupçons. Je savais, par Langton lui-même, qu'il devait venir ici à huit heures trente. Vous m'avez dit neuf heures, pensant que j'arriverais pour constater les dégâts.

— Pourquoi êtes-vous venu? Pourquoi?

Poirot se redressa.

— Je vous l'ai déjà dit, le meurtre est mon affaire.

— Meurtre? Vous voulez dire suicide.

— Oh! non! Je dis bien : meurtre. Votre mort devait être rapide et facile, mais celle que vous réserviez à Langton est la pire que doive endurer un homme. Il a acheté le poison, il vient vous voir, et il reste seul avec vous. Vous mourez brusquement, le cyanure est trouvé dans votre verre et Claude Langton devra payer de sa vie. C'était bien là votre plan?

A nouveau, Harrison gémit :

— Pourquoi êtes-vous venu?

— Parce que c'était mon devoir, cependant j'étais poussé par une autre raison : vous m'étiez sympathique. Ecoutez, Harrison, vous êtes atteint d'un mal incurable, vous avez perdu la jeune fille que vous aimiez, mais vous n'avez pas l'étoffe d'un criminel. Dites-moi à présent, êtes-vous soulagé ou regrettez-vous encore que je sois venu?

Après un long silence, Harrison se redressa.

Son visage reflétait une nouvelle dignité, l'expression d'un homme qui a surmonté sa lâcheté. Il tendit la main à travers la table.

— Dieu merci, vous êtes arrivé à temps, monsieur Poirot!

LA POUPEE DE LA COUTURIERE

(DRESSMAKER'S DOLL)

Elle était posée sur le grand fauteuil de velours dans le salon où régnait une demi-obscurité due à la lueur ouatée du ciel londonien. Les housses vert cendré, les rideaux et les tapis se fondaient dans la clarté grisâtre; la poupée aussi avec sa robe de velours vert, le bonnet assorti et son masque fardé. Elle ne ressemblait pas à un jouet destiné à amuser les enfants. Elle symbolisait plutôt le caprice de femmes riches, l'ornement inutile près du téléphone ou parmi les coussins du divan. Etalée en une pose alanguie, éternellement inerte, elle paraissait cependant étrangement vivante et aurait pu passer pour un exemple matérialisé de la décadence du vingtième siècle.

Sybil Fox entra précipitamment avec des patrons, un croquis et aperçut la poupée qui la fit sursauter. Elle se demanda... mais sa réflexion en resta là, car elle pensa aussitôt : « Où est donc passé l'échantillon de velours bleu? Qu'en ai-je fait? J'aurais juré l'avoir laissé ici. » Elle sortit sur le palier et cria en levant la tête vers l'atelier :

— Elspeth! Elspeth, avez-vous l'échantillon bleu? Mrs. Fellow-Brown va arriver d'une minute à l'autre.

Elle revint dans la pièce, tourna l'interrupteur. A nouveau, son regard fut attiré vers la poupée : « Où diable... ah! le voilà. » Elle ramassa l'échantillon qui lui était tombé des mains à son entrée. Un grincement familier se fit entendre sur le palier, annonçant l'arrivée de l'ascenseur et une minute plus tard, Mrs. Fellow-Brown, accompagnée de son pékinois, s'encadra sur le seuil, soufflant comme une locomotive qui reprendrait haleine en une gare isolée.

— Il va pleuvoir à verse — annonça-t-elle — à verse!

Elle abandonna gants et fourrure. Alicia Coombe arriva sur ses talons. Elle ne se dérangeait plus que pour les clientes importantes et Mrs. Fellow-Brown se classait dans cette catégorie.

Elspeth, la première d'atelier, descendit avec la robe à essayer que Sybil Fox passa sur la cliente.

— Voilà. Elle vous va très bien. La couleur est ravissante.

Alicia Coombe se cala dans son fauteuil, étudiant l'effet d'un œil critique.

— Oui, je crois que c'est parfait.

Mrs. Fellow-Brown se tourna de profil et regarda son reflet dans le miroir.

— Je dois dire que vos robes avantagent mon postérieur.

— Vous êtes bien plus mince que vous ne l'étiez il y a trois mois — assura Sybil.

— Hélas, non! Cependant, je dois admettre qu'avec cette robe, on le croirait. Votre coupe est excellente, elle dissimule mes hanches... enfin, juste ce qu'il faut. — Elle soupira et lissa délicatement la partie encombrante de son anatomie. Cela a toujours été une sorte d'épreuve pour moi. Naturellement, durant des années, j'ai réussi à le réduire en bombant la poitrine, mais je ne puis plus tricher depuis que mon estomac s'est dilaté. Impossible de rentrer les deux en même temps, n'est-ce pas?

Alicia Coombe remarqua avec tact :

— Si vous voyiez certaines de mes clientes!

Mrs. Fellow-Brown continua de s'examiner.

— A mon avis, avoir de l'estomac est plus affligeant qu'être affectée d'un gros postérieur. Cela vient peut-être du fait que lorsque l'on bavarde avec quelqu'un, notre interlocuteur ne remarque pas notre dos. J'ai maintenant décidé de rentrer mon estomac et d'oublier mon postérieur. — Elle tendit le cou de côté et s'exclama brusquement. — Oh! votre poupée!... Elle m'a causé une de ces peurs! Il y a longtemps que vous l'avez?

Sybil lança un coup d'œil inquiet à Alicia Coombe qui parut déconcertée.

— Je ne sais pas exactement... Ma mémoire faiblit de plus en plus. C'est terrible... impossible de me rappeler. Sybil, depuis combien de temps avons-nous cette poupée?

— Je l'ignore.

— En tout cas — reprit Mrs. Fellow-Brown — elle me donne la chair de poule. Elle a l'air de nous surveiller et peut-être même de rire sous cape. C'est inquiétant! A votre place, je me débarrasserais d'elle. — Elle eut un petit frisson mais se replongea aussitôt dans des détails vestimentaires. Devrait-elle ou non porter les manches un centimètre plus courtes? Et l'ourlet? Lorsque ces problèmes importants furent réglés, elle se rhabilla et s'apprêta à sortir. En passant près du grand fauteuil, elle détourna la tête.

— Décidément, je n'aime pas cette poupée. Elle a trop l'air d'appartenir au décor. C'est malsain.

— Que voulait-elle dire par-là? — questionna Sybil Fox, après le départ de la cliente.

Avant qu'Alicia Coombe n'ait pu répondre, Mrs. Fellow-Brown réapparut.

— J'ai complètement oublié Fou-Ling! Où êtes-vous mon bijou? Oh!... par exemple!

Elle se figea de surprise, imitée par les deux couturières. Assis au pied du fauteuil de velours vert, le pékinois paraissait en contemplation devant la poupée. Sa petite tête chiffonnée ne trahissait aucune expression — ravie ou mécontente — simplement, il regardait.

— Venez vite, chéri à Mummy.

Le petit chéri ne prêta aucune attention à ces flatteries.

— Il est de plus en plus désobéissant, su-

surra Mrs. Fellow-Brown. Venez tout de suite, Fou-Ling! Regardez! Mummy a un susucre...

Fou-Ling tourna la tête vers sa maîtresse avec dédain, et reporta son attention sur la poupée.

— Elle a certainement produit un effet sur lui, remarqua la cliente. Il ne me semble pas qu'il s'y soit intéressé lors de mes précédentes visites. Moi non plus, d'ailleurs. Etait-elle ici la dernière fois que je suis venue?

Les deux couturières se regardèrent. Sybil parut gênée et Alicia Coombe déclara en fronçant les sourcils :

— Je vous l'ai dit... ces temps derniers, je ne me souviens absolument de rien. Depuis combien de temps l'avons-nous, Sybil?

Mrs. Fellow-Brown pressa :

— D'où vient-elle? L'avez-vous achetée?

— Oh! non! — L'idée parut choquer Alicia Coombe. — Non. J'imagine que quelqu'un me l'a donnée. C'est exaspérant, dès qu'un incident est passé, je l'oublie aussitôt.

Mrs. Fellow-Brown se tourna vers le pékinois.

— Cessez ces stupidités, Fou-Ling! Je vais être obligée de vous porter.

Elle le souleva. L'animal poussa un cri de protestation, et ils quittèrent la pièce, les yeux exorbités de Fou-Ling apparaissant par-dessus l'épaule de sa maîtresse, fixant toujours avec une attention fascinée la poupée étendue sur le fauteuil...

— Cette maudite poupée ne me plaît pas du tout — bougonna Mrs. Groves, la femme de ménage.

Elle venait juste de balayer et s'attaquait à la poussière des meubles, un plumeau à la main.

Un moment plus tard, elle ajouta :

— C'est curieux, mais je ne l'ai remarquée pour la première fois qu'hier matin. Ça m'a fichu une drôle d'émotion de la voir ainsi.

— Vous ne l'aimez pas? demanda Sybil.

— Elle me fait peur. C'est pas naturel, si vous voulez mon avis, ces longues jambes et la façon dont elle paraît vautrée sur ce fauteuil avec une expression rusée dans les yeux... C'est pas sain.

— Vous n'avez jamais rien dit à son sujet, jusqu'à présent.

— Je ne l'ai vue qu'hier... Je sais bien

qu'elle est ici depuis pas mal de temps mais... — Elle hocha la tête avec fermeté. — Elle me fait penser à un cauchemar. — Ayant rassemblé divers objets sur la table, elle quitta le salon d'essayage pour se rendre dans le salon privé de la directrice.

Sybil fixa la poupée et une expression incrédule se peignit lentement sur son visage. Alicia Coombe qui entrait la fit sursauter.

— Miss Coombe, depuis combien de temps possédez-vous cette créature?

— Quoi, la poupée? Ma chère, vous savez bien qu'il m'est impossible de me souvenir de rien. Pas plus tard qu'hier, je devais assister à une conférence et je n'avais pas parcouru vingt pas dans la rue que le but de ma course m'était complètement sorti de l'esprit. J'ai réfléchi et finalement, j'ai pensé que je devais être en route vers « Fortnums » (1) car je me rappelais devoir y acheter un certain article. Vous me croirez si vous voulez, mais ce n'est que plus tard, dans la soirée, que la conférence m'est revenue à l'esprit. Je sais que lorsque l'on prend de l'âge, on devient plus

(1) Grand magasin situé à Piccadilly Circus.

ou moins gâteux, cependant cela m'arrive quand même un peu tôt. Voilà que j'ai oublié où j'ai posé mon sac... et mes lunettes. Où sont donc mes lunettes? Je viens de m'en servir il y a un instant pour lire un article dans le « Times ».

— Vos lunettes sont sur la cheminée. Vous êtes sûre que vous ne vous rappelez plus comment cette poupée est arrivée ici?

Alicia Coombe haussa les épaules.

— J'imagine que quelqu'un me l'a donnée ou envoyée... N'empêche qu'elle s'harmonise bien avec le décor. Vous ne trouvez pas?

— Trop bien. Il est vraiment curieux que de mon côté, je n'arrive pas à me souvenir quand je l'ai aperçue pour la première fois.

— Allons, voilà que vous vous exprimez comme moi. Vous êtes encore trop jeune pour perdre la mémoire.

— Pourtant, lorsque je l'ai regardée hier, je me suis dit qu'il y avait quelque chose... ma foi, Mrs. Groves a raison. Cette poupée a un côté effrayant. J'ai bien pensé que j'avais déjà éprouvé cette impression mais, il m'est impossible de me souvenir quand. C'est un peu comme si j'avais brusquement pris conscience de sa présence après qu'elle ait occupé ce fauteuil depuis des mois.

— Peut-être est-elle simplement entrée par la fenêtre, à cheval sur un balai. Je dois dire qu'elle s'est, à présent, intégrée au décor. Il m'est difficile d'imaginer la pièce sans elle, n'est-ce pas?

— C'est vrai, — répondit Sybil avec un petit frisson — toutefois je souhaiterais que ce ne soit pas aussi évident.

— Deviendrions-nous toutes obsédées par cette poupée? Qu'est-ce qu'elle a donc d'extraordinaire? Pour moi, elle ressemble à un vieux chou, mais cela vient probablement du fait que je n'ai pas mis mes lunettes. — Elle les posa sur son nez et fixa l'intéressée. — Oui, je vois ce que vous voulez dire, Sybil. Elle est un peu effrayante... Elle a l'air triste et cependant... futé et même volontaire.

— J'ai été surprise de ce que Mrs. Fellow-Brown la prenne en grippe.

— Les gens ressentent parfois des aversions soudaines.

— Peut-être que la poupée n'est ici que depuis hier... Elle aura pu... arriver par la fenêtre, comme vous le disiez.

— Non, je suis sûre qu'elle est ici depuis un certain temps, mais sa présence ne nous est devenue sensible qu'hier.

— Oui, c'est l'impression qu'elle me donne.

— Cessons ce bavardage avant qu'il ne prenne une tournure plus sérieuse. Voyons, il serait ridicule d'attribuer un pouvoir surnaturel à cette chose inerte. — Elle prit la poupée, la secoua, arrangea ses manches et l'assit dans un autre fauteuil. Aussitôt, le pantin de son glissa légèrement et se détendit. — En apparence, elle est inanimée et cependant elle donne l'impression d'être vivante, vous ne trouvez pas, Sybil?

— Oh! ça m'a donné un de ces chocs! haleta Mrs. Groves en pénétrant dans le salon de Miss Coombe, armée de son plumeau. Maintenant j'ai la frousse de retourner dans le salon d'essayage.

— Qu'est-ce qui vous a mise dans cet état-là? — demanda Miss Coombe en levant les yeux de son livre de comptes. Elle ajouta aussitôt, plus pour elle-même que pour Mrs. Groves : Cette femme s'imagine qu'elle peut obtenir chaque année deux robes de soirée, trois robes de cocktails et un ensemble sans me payer un sou! Vraiment, la mentalité de certaines clientes...

— C'est cette poupée, plaça Mrs. Groves en hésitant.

— Quoi, encore la poupée?

— Elle est assise devant le secrétaire, tout comme un être humain. Dieu! ça m'a fait un drôle d'effet!

— De quoi parlez-vous?

Alicia Coombe se leva, traversa le palier et ouvrit la porte du salon d'essayage. Devant le petit secrétaire qui occupait un coin de la pièce, la poupée était assise, très droite, ses longs bras étendus sur le pupitre.

— Quelqu'un aime encore jouer à la poupée — remarqua Miss Coombe. Quelle idée de l'avoir assise ainsi! Elle paraît presque naturelle.

Sybil Fox arriva de l'atelier chargée d'une robe qui devait être essayée dans la matinée.

— Venez voir, Sybil. Notre poupée se trouve à mon bureau, occupée à écrire ma correspondance. C'est vraiment absurde! Je me demande qui l'a installée là. Est-ce vous?

— Non. Il doit probablement s'agir d'une ouvrière.

— C'est une plaisanterie de très mauvais goût. — Alicia prit la poupée qu'elle lança sur le sofa.

Sybil déposa son fardeau sur une chaise et remonta aussitôt à l'atelier de travail où elle annonça :

— Vous connaissez toutes la poupée vêtue de velours qui se trouve dans le salon d'essayage...

La première et ses ouvrières levèrent la tête.

— Oui, madame, bien sûr.

— Qui l'a assise devant le bureau, ce matin?

Elspeth s'exclama :

— Assise devant le bureau? Pas moi.

— Ni moi non plus! s'écria une ouvrière. Est-ce vous Marlene?

L'interpellée hocha la tête et demanda, venimeuse :

— C'est ce à quoi vous vous occupez en cachette, Elspeth?

— Certainement pas. J'ai bien d'autres choses à faire que de jouer à la poupée.

La voix mal assurée, Sybil Fox les pressa :

— C'est... c'est une bonne plaisanterie, mais j'aimerais en connaître l'auteur.

Les trois ouvrières protestèrent.

— Nous vous assurons que ce n'est pas nous, Mrs. Fox!

— Ni moi non plus, appuya Elspeth. Pourquoi tant d'histoire pour une poupée, Mrs. Fox?

— L'incident est simplement étrange.

— C'est peut-être Mrs. Groves?

— Impossible. Elle a eu une peur bleue en pénétrant dans le salon d'essayage.

— Il faut que j'aille me rendre compte par moi-même, déclara soudain la première d'atelier.

— Elle n'est plus devant le bureau. Miss Coombe l'a mise sur le sofa. Toujours est-il que quelqu'un a touché à cette poupée et il n'y a aucune raison pour que ce quelqu'un refuse de l'admettre.

— Nous vous l'avons affirmé à deux reprises, Mrs. Fox. Pas la peine de nous accuser d'être des menteuses. Aucune d'entre nous n'irait jouer un tour pareil!

— Excusez-moi! Je ne voulais pas vous

offenser. Je ne vois néanmoins pas de qui d'autre il pourrait bien s'agir.

— Peut-être qu'elle s'est rendue au secrétaire toute seule, suggéra Marlene en pouffant.

Sybil pinça les lèvres, vexée.

— Assez perdu de temps pour une histoire ridicule.

Elle tourna les talons et regagna le salon d'essayage où elle trouva Alicia Coombe fredonnant un air tout en fouillant parmi ses affaires.

— Ah! Sybil! J'ai encore perdu mes lunettes... Le désavantage d'être aussi myope que je le suis, est que lorsque l'on a égaré ses précieuses lunettes, à moins d'en chausser une autre paire pour retrouver la première, on n'a aucune chance de la récupérer, car on ne distingue rien à deux pas.

— Je vais les chercher pour vous. Vous les aviez il n'y a pas longtemps.

— Lorsque vous êtes montée, je me suis rendue dans mon salon, j'imagine qu'elles y sont restées.

Elle se rendit dans l'autre pièce tout en remarquant :

— Il va falloir que je m'occupe de mes comptes et sans mes lunettes, je suis perdue.

— Voulez-vous que j'aille quérir la paire de rechange que vous gardez dans votre chambre?

— Je n'ai plus de paire de rechange.

— Que dites-vous?

— Ma foi, je crois que je les ai perdues hier à l'heure du déjeuner. J'ai téléphoné au restaurant ainsi qu'aux deux magasins où je me suis rendue, mais en vain.

— Dans ce cas, vous allez avoir besoin d'une troisième paire.

— Ah non! ou alors je passerai ma vie à chercher l'une ou l'autre. Il est préférable que je n'en possède qu'une et que je la cherche jusqu'à ce que je la trouve.

— Si vous n'êtes allée que dans ces deux pièces, ce ne devrait pas être très difficile.

Elle inspecta le salon privé de Miss Coombe, puis le salon d'essayage. En dernière ressource, elle souleva la poupée, abandonnée sur le sofa.

— Je les ai! cria-t-elle.

— Où étaient-elles, Sybil?

— Sous notre précieuse poupée. Vous avez

dû les poser sur le sofa avant de l'y jeter.

— Je suis sûre que non.

— Dans ce cas — s'exclama Sybil exaspérée — c'est la poupée qui les a prises pour les cacher derrière son dos!

— Toute réflexion faite, cela ne m'étonnerait pas. Elle a l'air très intelligente, vous savez?

— Sa tête ne me plaît pas. Elle a l'air de quelqu'un qui sait quelque chose que nous ignorons.

— Son expression est douce et triste... hasarda Miss Coombe sans grande conviction.

— Je ne pense pas qu'elle soit douce du tout.

— Non... vous avez peut-être raison. Allons, retournons au travail. Lady Lee doit arriver dans dix minutes et je veux auparavant poster quelques factures.

— Mrs. Fox! Mrs. Fox!

— Oui, Margaret, que se passe-t-il?

Sybil était penchée sur sa table, occupée à couper une pièce de satin.

— Oh! Mrs. Fox! c'est encore cette poupée. J'ai descendu la robe marron pour Lady Lee et j'ai trouvé votre poupée assise devant le secrétaire. Ce n'est pas moi qui l'y ai mise... ni aucune d'entre nous, là-haut. Croyez-moi, Mrs. Fox, nous ne ferions jamais une chose pareille.

Les ciseaux de la coupeuse dévièrent un peu.

— Oh! regardez ce que vous m'avez fait faire. Ma foi, tant pis. Racontez-moi ce qui s'est passé.

— J'ai trouvé la poupée assise devant le secrétaire, dans le salon d'essayage.

Sybil descendit pour constater que la poupée occupait à nouveau la position dans laquelle la femme de ménage l'avait trouvée plus tôt.

— Vous êtes une petite personne très déterminée. Elle la secoua durement et la remit sur le sofa. Votre place est ici. N'en bougez plus.

Puis elle se rendit chez sa patronne.

— Miss Coombe?

— Oui, Sybil!

— Je crois que quelqu'un s'amuse à nos dépens. La poupée était à nouveau assise devant le secrétaire.

— De qui s'agit-il, à votre avis?

— Une des trois ouvrières, sans aucun doute. Elle doit estimer cela drôle. Naturellement, elles jurent toutes qu'elles sont innocentes.

— Serait-ce Margaret?

— Je ne pense pas. Elle était toute pâle en revenant du salon d'essayage. C'est probablement cette évaporée de Marlene.

— En tout cas, ce jeu devient ennuyeux.

— Je suis bien de votre avis. Néanmoins — ajouta-t-elle d'un ton sévère — je me propose de mettre un point final à la plaisanterie.

— Comment cela?

— Vous verrez!

Ce soir-là, avant de partir, Sybil ferma la porte du salon d'essayage à clef.

— Et je l'emporte avec moi pour plus de sûreté, annonça-t-elle.

Miss Coombc parut amusée.

— Vous croyez donc qu'il pourrait s'agir de moi? Vous pensez que je suis tellement étourdie que je me rends à mon secrétaire avec l'intention d'écrire et qu'au lieu de cela, j'assieds la poupée devant ma correspondance avec l'espoir qu'elle se chargera du travail à ma place? Et après cela, l'incident me sort complètement de la tête?

— Ma foi, ce n'est pas impossible. En tout cas, je veux m'assurer que ce soir, personne ne sera tenté de jouer un mauvais tour en cachette.

Le lendemain matin, dès son arrivée, Sybil ouvrit la porte du salon d'essayage, sous l'œil courroucé de Mrs. Groves, qui l'avait attendue sur le palier, les balais et plumeaux en main.

Sybil avança le cou, mais recula brusquement.

La poupée avait repris sa place devant le secrétaire.

— Par exemple! souffla la femme de ménage dans son dos, c'est pas possible... Mrs. Fox, vous ne vous sentez pas bien? Vous voilà toute pâle. Vous avez besoin d'un remontant. Est-ce que Miss Coombe garde un peu d'alcool chez elle?

— Ce n'est rien.

Sybil alla prendre la poupée qu'elle porta avec soin à l'autre extrémité de la pièce.

— Quelqu'un vous a encore joué un tour, Mrs. Fox.

— Je ne vois pas comment, car j'ai fermé la porte à clef, hier soir. Vous avez constaté vous-même que personne ne pouvait entrer.

— Peut-être que quelqu'un détient un double.

— Je ne pense pas. Nous n'avons jamais condamné cette pièce. La clef est un vieux modèle qui n'existe qu'en un seul exemplaire.

— La clef du salon de Miss Coombe sert peut-être pour cette serrure?

Elles essayèrent toutes les clefs du magasin et de l'atelier, aucune ne correspondait à la serrure les intéressant.

Plus tard, alors que Sybil et Miss Coombe déjeunaient ensemble, elles reparlèrent de l'incident.

— Je trouve ce phénomène bien bizarre, remarqua Sybil.

— Ma chère! c'est simplement extraordinaire. A mon avis, nous devrions en informer le service de recherches psychologiques. On nous enverra peut-être un médium pour découvrir si la pièce recèle quelque esprit malin.

— Vous ne paraissez pas le moins du monde alarmée.

— J'avoue que, dans un sens, l'aventure

m'amuse. A mon âge, tout incident insolite me procure une distraction. Pourtant... je crois qu'intérieurement, je n'aime pas beaucoup la tournure que prend cette histoire. Notre poupée dépasse un peu les bornes.

Ce soir-là, Sybil et Alicia Coombe fermèrent la porte ensemble.

— Je suis encore persuadée — remarqua Sybil — qu'une des ouvrières nous joue un mauvais tour, bien que son motif m'échappe...

— Vous pensez que demain matin, nous trouverons la poupée de nouveau assise devant le bureau?

— Franchement, oui.

Mais Sybil se trompait. Au matin, la poupée n'était pas assise à sa nouvelle place, mais sur le rebord de la fenêtre, tournée vers la rue en contrebas. Et à nouveau, sa posture avait quelque chose d'étrangement naturel.

Au cours de l'après-midi, alors que les deux femmes se détendaient un moment en buvant une tasse de thé, Miss Coombe lança à brûle-pourpoint :

— Cette affaire devient vraiment ridicule.

D'un commun accord, elles s'étaient retirées dans le salon de la directrice au lieu de rester comme d'habitude dans le salon d'essayage.

— Ridicule... dans quel sens?

— Eh bien! sur quoi repose-t-elle sinon sur une poupée qui change constamment de place?

Les jours suivants, le fait devint de plus en plus évident. La poupée ne changeait plus seulement de place durant la nuit, mais à tout moment. Lorsque les couturières revenaient dans le salon d'essayage, même après quelques secondes d'absence, elles la retrouvaient dans une position nouvelle. Elle passait du sofa sur une chaise, puis sur la fenêtre. Parfois, elle occupait le fauteuil et parfois la chaise devant le secrétaire.

Un après-midi que Sybil Fox et sa directrice contemplaient la poupée étendue sur le sofa, Miss Coombe remarqua :

— Elle se déplace comme bon lui semble, à présent. Et j'ai l'impression, Sybil, que cela l'amuse beaucoup. Mais qu'est-ce après tout sinon de vieux morceaux de velours fané et quelques coups de pinceau en guise de figure? — Sa voix cependant avait un accent angoissé. — Je suppose que nous pourrions... nous débarrasser d'elle...?

Devant l'expression choquée de sa seconde, elle enchaîna vivement :

— Si nous avions un feu, nous pourrions la brûler... comme une sorcière. Bien sûr, il y a toujours la poubelle...

— Non! Quelqu'un l'y repêcherait sûrement pour nous la rapporter.

— Et si nous l'envoyions à une de ces institutions qui demandent toujours des objets pour leurs ventes de charité? Ce serait probablement la meilleure solution.

— Je ne sais pas. Cela me ferait presque peur.

— Peur?

— Je crois qu'elle reviendrait ici.

— Ici?

— Oui.

— Comme un pigeon-voyageur?

— Dans un sens, oui.

— Est-ce que nous deviendrions folles? Peut-être suis-je complètement gâteuse et cherchez-vous à me taquiner.

— Non. Mais j'ai une horrible appréhension... je crains que cette poupée ne soit plus forte que nous.

— Quoi?... cet amas de chiffons?

— Elle est très déterminée et agit comme bon

lui semble. Cette pièce lui appartient à présent.

— C'est vrai. Je dois dire qu'elle s'harmonise avec les coloris ambiants... ou plutôt, c'est le décor qui s'harmonise avec elle. C'est trop bête qu'une poupée prenne possession d'un lieu de cette manière. Vous savez que Mrs. Groves refuse de venir nettoyer ici?

— Vous a-t-elle dit qu'elle redoutait la présence de la poupée?

— Non, elle invente toujours un prétexte quelconque. — Puis, avec un accent angoissé dans la voix. — Qu'allons-nous faire, Sybil? Cette histoire me démoralise complètement. Je n'ai pas dessiné un seul modèle depuis des semaines.

— Je ne puis concentrer mon esprit sur mes patrons, confessa Sybil. Je n'arrête pas de commettre des erreurs monstrueuses. Peut-être que votre idée d'écrire à l'institut psychiatrique n'est pas si mauvaise, après tout?

— Cela ne réussirait qu'à nous exposer au ridicule. Je ne parlais pas sérieusement. Non. Je suppose que nous devrons supporter la situation jusqu'à...

— Jusqu'à?

— Oh! je ne sais pas. — Elle émit un petit rire nerveux.

Le lendemain matin, Sybil trouva la porte du salon d'essayage fermée à clef.

— Miss Coombe, avez-vous fermé cette porte, hier soir?

— Oui et elle restera fermée.

— Comment cela?

— J'abandonne la pièce. La poupée peut la garder. J'ai décidé que nous avions assez de place pour transformer ce coin en salon d'essayage.

— Mais, c'est votre salon privé?

— Eh bien! Je n'en veux plus. J'ai une grande chambre que je puis arranger en salle de séjour.

— Vous voulez dire que vous ne retournerez jamais dans le salon d'essayage?

— Exactement.

— Mais... et le nettoyage? Tout va devenir terriblement sale.

— Laissez-le! S'il est dit que la pièce doit appartenir à une poupée, d'accord... je la lui laisse. Qu'elle s'occupe du nettoyage, elle-même. — Elle ajouta d'un air pensif : Elle nous déteste, vous savez!

— La poupée nous déteste?

— Ne le saviez-vous pas? Vous avez bien dû le remarquer en la regardant.

— Oui... je suppose que je m'en suis rendue compte. Peut-être même l'ai-je senti instinctivement... Elle a finalement réussi à nous chasser de sa pièce.

— C'est une petite personne malveillante.

— En tout cas, elle doit être satisfaite, à présent.

A partir de ce jour, le calme parut se rétablir. Alicia Coombe annonça à ses employées qu'elle avait décidé de condamner le salon d'essayage sous prétexte que la maison était trop grande, ce qui exigeait trop de soins ménagers.

Mais à l'heure de la fermeture, elle entendit une des ouvrières qui descendait l'escalier, annoncer à une de ses compagnes :

— Miss Coombe est vraiment timbrée, à présent. Je l'ai toujours jugée bizarre avec ses pertes de mémoire, maintenant c'est pire. Elle en est vraiment venue à être obsédée par cette poupée.

— Vous croyez qu'elle irait jusqu'à essayer de nous poignarder, un de ces jours?

Miss Coombe se redressa, indignée. « Timbrée! Quelle impertinence!... Il est vrai que si Sybil ne pensait pas comme moi, je me demanderais vraiment si je ne deviens pas folle. Et Mrs. Groves pense comme nous. Je voudrais bien savoir comment tout cela va se terminer. »

Trois semaines plus tard, Sybil annonça à sa patronne :

— Il va falloir que nous ouvrions cette pièce.

— Pourquoi?

— Elle doit être pleine de poussière. Les mites vont se mettre partout. Nous pourrions nettoyer, aérer et refermer aussitôt.

— Je préférerais ne jamais y retourner.

— Je crois que vous êtes encore plus superstitieuse que moi.

— C'est possible. Bien qu'au début l'affaire m'ait paru assez amusante, maintenant j'ai peur et je souhaiterais n'avoir jamais à remettre les pieds dans cette pièce.

— Eh bien, moi, je veux y aller... et tout de suite.

— Vous savez ce que vous êtes?... une curieuse!

— Je vous l'accorde. Je désire voir ce qu'a fait la poupée depuis sa claustration.

— Je ne puis m'empêcher de penser qu'il vaudrait mieux la laisser en paix. A présent que nous lui avons abandonné la pièce, elle doit être satisfaite. Autant respecter sa volonté. — Elle soupira exaspérée : Voilà que je raconte des bêtises!

— Si vous connaissez un moyen d'aborder le sujet avec intelligence... Allons, donnez-moi la clef.

— D'accord, d'accord.

— Vous avez peut-être peur que je la laisse échapper. Elle doit pourtant avoir le pouvoir de passer à travers les murs ou les fenêtres.

Sybil tourna la clef dans la serrure et poussa le battant.

— Que c'est étrange! s'exclama-t-elle.

— Quoi donc? — fit Alicia Coombe en accourant.

— Voyez, il n'y a presque pas de poussière. On pourrait pourtant croire qu'après avoir été fermé depuis si longtemps...

— En effet, c'est vraiment bizarre.

— Regardez-la.

La poupée se trouvait sur le sofa, mais au lieu de s'y être vautrée, elle se tenait assise très droite, un coussin supportant son dos, dans l'attitude d'une lady prête à recevoir ses invités.

— Elle semble parfaitement à son aise, — constata Miss Coombe — j'ai presque le sentiment que je devrais lui présenter des excuses pour l'avoir dérangée.

— Allons-nous en.

En sortant, Sybil referma la porte à clef et les deux femmes se regardèrent, perplexes.

— Je voudrais bien savoir pourquoi elle nous effraie tant, observa la directrice.

— Qui n'éprouverait pas la même frayeur?

— Qu'est-elle néanmoins? Une sorte de marionnette, rien de plus. Ce n'est pas elle qui change de place, mais « un esprit frappeur » qui l'anime.

— Quelle splendide idée!

— Je n'y crois pas beaucoup. Intérieurement, je suis persuadée que c'est la poupée qui agit seule.

— Etes-vous certaine de ne pas savoir d'où elle vient?

— Absolument. Et plus j'y pense, plus je suis convaincue que je ne l'ai pas achetée et que personne ne me l'a donnée. Je crois... ma foi, je crois qu'un jour, elle s'est simplement trouvée ici.

— Pensez-vous qu'elle s'en ira jamais?

— Je ne vois pas pourquoi elle partirait... Elle a tout ce qu'elle désire, il me semble.

Il s'avéra cependant que la poupée n'était pas complètement comblée avec l'empire qu'on lui abandonnait. Le lendemain matin, lorsque Sybil Fox pénétra dans le nouveau salon d'essayage, ce qu'elle vit lui fit pousser une exclamation étouffée et elle se lança dans les escaliers en appelant :

— Miss Coombe! Miss Coombe, venez voir!

Alicia Coombe qui s'était levée plus tard que de coutume, descendit les escaliers avec précaution — car elle souffrait de douleurs rhumastismales — et s'approcha de la jeune femme.

— Sybil, vous êtes toute pâle. Que se passe-t-il?

— Regardez!

Elle la guida sur le seuil du salon où elles se figèrent. Sur le sofa, étendue dans une pose nonchalante, se trouvait la poupée.

— Elle est sortie, souffla la directrice. *Elle est sortie de la pièce!* Et maintenant, elle veut aussi celle-ci.

Elle s'assit près de la porte et murmura :

— J'imagine qu'à la fin, il lui faudra toute la maison.

— C'est possible.

— Méchante créature! cria-t-elle. Pourquoi venez-vous nous harceler? Nous ne voulons pas de vous!

Il lui sembla ainsi qu'à Sybil, que la poupée bougeait et que ses membres se détendaient un peu plus. Un de ses longs bras était posé nonchalamment sur un coussin et son visage chiffonné, à demi caché, semblait observer sournoisement les deux femmes.

— Quelle affreuse créature, cria Alicia. Je ne pourrais la supporter plus longtemps. Non, non!

Elle se leva d'un bond, alla saisir la poupée, courut à la fenêtre et la jeta dans la rue. Sybil poussa un cri de frayeur.

— Oh! Alicia, vous n'auriez pas dû! Je suis sûre que vous avez mal agi.

— Je devais faire quelque chose. Je ne puis plus la voir.

Sybil s'approcha à son tour de la fenêtre et regarda en contrebas. La poupée était étalée face contre terre, sur le trottoir.

— Vous l'avez tuée.

— Ne dites pas de bêtises... Comment peut-on tuer ce qui est fait de son et de bouts de chiffons? Elle n'est pas un être humain.

— Elle en a pourtant l'air.

— Grand Dieu... cette enfant!

Une petite fille vêtue de haillons venait de s'approcher de la poupée et jetait alentour des regards furtifs. A cette heure matinale, la rue était encore déserte à part quelques véhicules qui passaient à vive allure; alors, l'enfant se pencha, ramassa la poupée et traversa la chaussée en courant.

— Arrête! arrête! cria Alicia. Cette enfant ne doit pas prendre la poupée. Elle ne le doit pas! La poupée est dangereuse! Elle est animée d'un esprit malin. Nous devons absolument l'empêcher!

Ce n'est pas elle qui arrêta la petite fille mais la circulation devenue brusquement très dense, la forçant à rester au milieu de la chaussée, entre deux rangées de voitures et camions. Sybil dévala les escaliers en courant, Alicia Coombe la suivant avec difficulté. Se frayant un passage parmi deux véhicules, la jeune femme arriva auprès de l'enfant avant que cette dernière n'ait eu le temps de gagner le trottoir opposé. Alicia Coombe les rejoignit tout essoufflée et haleta :

— Tu ne peux pas emporter cette poupée. Rends-la-moi.

La fillette leva un regard méfiant. Elle devait avoir huit ans, toute maigre et affectée d'un léger strabisme.

— Pourquoi je vous la donnerais? Vous l'avez jetée par la fenêtre, je vous ai vue. Si vous l'avez lancée dans la rue, c'est que vous en voulez pas. Et maintenant, elle est à moi.

— Je t'en achèterai une autre... Viens avec moi dans un magasin de jouets... n'importe où... Je t'achèterai la plus belle poupée que tu trouveras. Mais rends-moi celle-ci.

— Non — et la petite fille serra son trésor contre elle.

Sybil tenta d'intervenir.

— Tu dois la rendre. Elle n'est pas à toi.

Elle avança le bras pour saisir la poupée, mais la petite fille tapa du pied et fit face aux deux femmes en criant :

— Non! Non! Non! Elle est à moi. Je l'aime. *Vous, vous ne l'aimez pas*! Vous la détestez! Sinon vous ne l'auriez pas jetée par la fenêtre. Je vous dis que je l'aime et c'est ce qu'elle veut. Elle veut être aimée.

Et souple comme une anguille, elle se faufila parmi les voitures, gagna le trottoir opposé, courut le long d'un passage et disparut avant que les deux femmes n'aient eu le temps de réagir.

— Elle est partie, fit Alicia.

— Elle a dit que la poupée voulait être aimée. C'est peut-être ce qu'elle a toujours désiré... être aimée...

Au milieu de la circulation londonienne, les deux femmes effrayées, se regardèrent, perplexes.

LE SIGNAL ROUGE

(THE RED SIGNAL)

— Oh! que c'est passionnant, s'écria la jolie Mrs. Eversleigh en écarquillant ses beaux yeux bleus un peu vides d'expression. On dit toujours que les femmes ont un sixième sens. Pensez-vous que ce soit vrai, Sir Alington?

Le célèbre aliéniste sourit avec ironie. Il méprisait totalement les femmes jolies et sottes comme celle-ci. Alington West faisait autorité en matière de désordres mentaux et ne sous-estimait pas son importance. C'était un bel homme quelque peu poseur. Il répondit :

— Je n'ignore pas toutes les sottises qui ont cours. Un sixième sens? Qu'est-ce que cela signifie?

— Vous autres savants êtes toujours trop sévères. Mais la manière dont on sait les choses par avance, ou plutôt dont on les sent est positivement mystérieuse. Claire sait de quoi je parle, n'est-ce pas, Claire?

Elle s'adressait à la maîtresse de maison en faisant la moue et en levant une épaule.

Claire Trent ne répondit pas tout de suite. Le dîner avait été intime et n'avait compris que les hôtes — Claire et son mari Jack, Violette Eversleigh, Sir Alington West et son neveu Dermot West, ami de Jack Trent. Ce dernier, un peu lourd et rubicond, répondit en riant :

— Allons, Violette, si votre meilleure amie est tuée dans un accident de chemin de fer, vous vous souvenez aussitôt que vous aviez rêvé d'un chat noir la semaine précédente et vous avez senti qu'un malheur était imminent.

— Non, Jack, vous confondez prémonition et intuition. Voyons, Sir Alington, vous avouerez que les prémonitions existent.

— Jusqu'à un certain point sans doute, répondit l'aliéniste froidement. Mais la coïncidence existe et aussi la tendance à tout exagérer, il faut en tenir compte.

— Je ne crois pas aux prémonitions, dit Claire d'un ton sec, ni à l'intuition, ni au sixième sens, ni à toutes les choses dont nous discutons sans réfléchir. Nous ressemblons à des trains qui foncent dans la nuit vers des destinations inconnues.

— Votre exemple est mal choisi, déclara Dermot West, qui prenait pour la première fois part à la discussion. Ses yeux gris brillaient curieusement dans son visage hâlé. Vous oubliez les signaux...

— Quels signaux?

— Vert quand la voie est libre, rouge quand il y a danger.

— Rouge pour le danger, que c'est passionnant! murmura Violette Everleigh.

Dermot lui tourna le dos avec agacement et déclara :

— C'est une manière de parler. Il y a danger devant vous, attention! Trent le dévisagea attentivement.

— On dirait que vous parlez par expérience, mon vieux?

— C'est vrai.

— Racontez-nous cela!

— Voici un exemple : j'étais en Mésopotamie, juste après l'Armistice et, un soir, j'ai regagné ma tente, troublé par un pressentiment : danger. Attention... Je ne comprenais absolument pas de quoi il pouvait s'agir. Je fis le tour de notre camp, pris toutes les précautions voulues contre une attaque possible d'Arabes hostiles. Puis je rentrai sous ma tente. Dès que je fus à l'intérieur, la sensation devint plus forte. Danger... je finis par sortir en emportant une couverture dans laquelle je m'enroulai et je dormis dehors.

— Et alors?

— Le lendemain quand j'entrai sous ma tente, la première chose que je vis fut un immense couteau enfoncé dans ma couchette juste à l'endroit où j'aurais dû être. Je ne tardai pas à découvrir le coupable; un de nos serviteurs arabes dont le fils avait été fusillé pour espionnage. Qu'en pensez-vous, oncle Alington, comme exemple de ce que j'appelle « le signal rouge »?

Le spécialiste sourit vaguement.

— Ton histoire est très intéressante, mon cher Dermot.

— Mais vous n'y croyez guère?

— Si, si : je ne doute pas que tu aies eu la prémonition du danger. Mais c'est l'origine de cette prémonition que je discute. A te croire, elle est venue de l'extérieur, causée par une source inconnue qui t'a frappé. Mais, de nos jours, nous savons que tout prend en réalité naissance dans notre subconscient.

— Brave subconscient, s'écria Jack Trent. On l'accuse de tout... Sir Alington reprit sans accorder d'attention à cette boutade :

— Je suppose que cet Arabe s'était trahi par un regard ou un geste que tu n'avais pas remarqué, mais que ton subconscient avait enregistré. Il n'oublie jamais rien. Nous croyons également qu'il peut raisonner et déduire indépendamment de notre volonté. Ton subconscient avait compris qu'on allait essayer de t'assassiner et il a réussi à te faire sentir le danger.

— J'avoue que cela semble sérieux, dit Dermot en souriant.

— Mais beaucoup moins intéressant, déclara Mrs. Eversleigh.

— Il est également possible que tu te sois, inconsciemment, rendu compte de la haine que te vouait cet Arabe. Ce que l'on nommait autrefois « télépathie » existe sûrement, mais son origine demeure vague.

— Avez-vous eu d'autres exemples de prémonitions? demanda Claire à Dermot.

— Oui, mais rien de sensationnel et je suppose qu'on pourrait les expliquer en parlant de coïncidences. Une fois, j'ai refusé une invitation dans une maison de campagne sans autre raison que l'apparition du « signal rouge ». Or, un incendie détruisit cette propriété au cours de la semaine. Par parenthèse, oncle Alington, quel rôle le subconscient a-t-il joué là?

— Aucun, répondit l'interpellé en souriant.

— Cependant, vous avez trouvé une autre explication. Voyons, ne vous montrez pas cérémonieux en famille.

— Alors, mon neveu, je suppose que tu as refusé une invitation pour la raison toute simple qu'elle ne te séduisait pas; puis après l'incendie tu t'es figuré que tu avais eu la prescience d'un danger, et désormais tu y crois sincèrement.

— C'est inextricable, s'écria Dermot en riant.

— Peu importe, déclara Violette Eversleigh. Je crois à votre « signal rouge ». Est-ce que vous l'avez eu en Mésopotamie pour la dernière fois?

— Oui... jusqu'à...

— Jusqu'à?

— Oh! rien.

Dermot garda le silence car il avait failli dire « jusqu'à ce soir ». Les mots étaient montés à ses lèvres et avaient exprimé une idée qu'il n'avait même pas encore comprise... mais il se rendait compte qu'elle existait : le signal rouge sortait des ténèbres et lui criait : « Danger, danger imminent... »

Mais pourquoi? Quel danger pouvait-il courir dans la maison de ses amis? Cependant, il y en avait un. Il regarda Claire Trent, admira son teint pâle, son corps svelte, la courbe exquise de sa tête blonde. Mais ce danger-là existait depuis longtemps et ne risquait pas de devenir grave : Jack Trent était plus encore que son meilleur ami, car il lui avait sauvé la vie en Flandre et avait été décoré pour cela. Jack était le meilleur des hommes et Dermot pensa qu'il devait maudire le jour où il s'était épris de sa femme. Cela passerait sûrement, il allait s'employer à guérir. D'ailleurs Claire ne devinerait jamais et, dans le cas où elle s'en apercevrait, elle n'en souffrirait pas : elle était belle comme une statue, mais tout aussi froide. Pourtant... et bien qu'il eût déjà aimé, Dermot, n'avait jamais éprouvé un sentiment pareil. Mais le « signal rouge » devait s'appliquer à autre chose.

Il regarda autour de la table et, pour la première fois, s'aperçut que leur petit groupe était étrange : son oncle notamment, n'acceptait jamais une invitation aussi peu cérémonieuse. Pourtant il n'était pas lié avec le ménage Trent et Dermot ne s'était jamais douté qu'ils se connaissaient.

Evidemment il y avait une raison, car un médium assez célèbre devait venir donner une séance après le dîner. Sir Alington se déclarait un peu intéressé par le spiritisme. Ce devait être une explication.

Ce mot frappa l'esprit de Dermot : cette séance cachait-elle la raison de la présence du spécialiste? En ce cas, quelle était cette raison? De nombreux petits détails qu'il n'avait pas remarqués jusqu'alors se présentèrent à l'esprit du jeune homme : le grand spécialiste avait dévisagé Claire Trent qui avait semblé inquiète. Ses mains tremblaient et elle paraissait affreusement nerveuse, voire même effrayée. Pourquoi?

Dermot fit un effort pour ramener son esprit au moment présent. Mrs. Eversleigh avait entraîné le savant à parler de son travail :

— Chère madame, lui disait-il, qu'est-ce que la folie? Je puis vous affirmer que plus nous étudions ce sujet, plus il nous devient difficile de nous prononcer. Tous, tant que nous sommes, nous dissimulons nos pensées. Mais quand nous allons jusqu'à déclarer que nous sommes le Tsar de Russie, on nous enferme, cependant, avant d'en arriver là, il y a un long chemin à parcourir et, sur le parcours, à quel endroit planterons-nous une borne sur laquelle nous inscrirons : « De ce côté la raison, de l'autre la folie »? C'est impossible et j'ajoute ceci : quand quelqu'un a des hallucinations, s'il n'en parle pas nous ne pourrons jamais le distinguer d'un individu normal; l'étonnante sagesse des fous est fort intéressante à étudier.

Sir Alington but une gorgée de vin avec un plaisir évident et sourit à son auditoire.

— J'ai toujours entendu dire que les toqués sont très rusés, fit observer Mrs. Eversleigh.

— Très rusés en effet, et si l'on fait disparaître leur idée fixe le résultat est désastreux. La psychanalyse nous a d'ailleurs appris que toute modification est dangereuse. L'individu qui présente une certaine idée fixe inoffensive et peut la cultiver se montre rarement agressif. Mais, l'homme ou la femme qui paraît absolument normal peut, en réalité, être un danger terrible pour la communauté.

Le regard du médecin se posa sur Claire puis il se détourna et il goûta de nouveau son vin.

Une peur affreuse s'empara de Dermot. Son oncle croyait-il vraiment? Et voulait-il faire comprendre sa pensée? C'était impossible mais...

— Dire que tout cela viendrait du refoulement, soupira Mrs. Eversleigh. Je comprends fort bien qu'il faut faire très attention à... à ne pas faire connaître sa personnalité car le danger est épouvantable.

— Vous m'avez mal compris, chère madame, s'écria Sir Alington. Le danger réside dans la matière cérébrale, il est parfois causé par un choc mais parfois aussi, il est hélas! congénital.

— L'hérédité est une chose bien triste, soupira la jeune sotte. Il y a la tuberculose et tout le reste.

— La tuberculose n'est pas héréditaire, répliqua le médecin d'un ton sec.

— Vraiment? j'avais toujours cru qu'elle l'était. Et la folie se transmet donc? C'est effrayant! Quelles autres maladies peuvent l'être?

— La goutte, répondit Alington en souriant et le daltonisme. Dans ce dernier cas, c'est assez intéressant : il se transmet directement au mâle, mais il est latent chez les femelles. De sorte qu'il y a beaucoup de daltoniens, mais une femme doit avoir une mère daltonienne à l'état latent et un père qui l'était nettement. Toutefois, le cas se présente rarement et c'est ce qu'on appelle l'hérédité limitée par le sexe.

— Que c'est intéressant, mais il n'en est pas de même pour la folie?

— Elle peut être transmise aux deux sexes indifféremment, répondit Sir Alington. Je suis venu tout exprès pour voir cette étonnante Mrs. Thomson. Pourtant il n'a pas été nécessaire de me supplier, ajouta-t-il galamment.

Claire acquiesça d'un sourire et sortit de la pièce une main posée sur l'épaule de Mrs. Eversleigh.

— Je crains d'avoir « parlé boutique » fit

observer le savant en reprenant son siège. Excusez-moi, mon cher.

— Aucune importance, répondit Trent d'un air indifférent. Mais il paraissait tourmenté, inquiet et, pour la première fois Dermot se sentit de trop en compagnie de son ami. Il y avait entre eux un secret qu'ils ne pouvaient partager, malgré leur vieille intimité. Pourtant la chose était invraisemblable, car, en somme, sur quoi se basait-il? Sur deux regards et une nervosité de femme?

Ils ne s'attardèrent pas sur leur porto et entrèrent dans le salon juste au moment où l'on annonçait Mrs. Thomson.

Le médium était une femme replète, d'âge moyen, affreusement vêtue de velours grenat; sa voix sonore était plus encore vulgaire.

— J'espère ne pas être en retard, dit-elle à Claire; Vous avez bien dit neuf heures, n'est-ce pas?

— Vous êtes absolument à l'heure, madame, répondit Mrs. Trent de sa douce voix quelque peu voilée. Notre petit cercle est au complet.

Suivant une coutume habituelle, aucune autre présentation n'eut lieu mais le médium jeta sur l'assistance un regard pénétrant.

— J'espère que nous aurons de bons résultats, dit-elle gaiement. Je ne saurais vous dire à quel point j'ai horreur de ne pas réussir quand je sors. Je pense que Shiromako (mon contact japonais) pourra venir ce soir; je me sens en pleine forme et j'ai au dîner refusé un plat que j'aime et qui est lourd.

Dermot écoutait, il était à moitié amusé, à moitié écœuré. Que tout ceci était donc prosaïque. Cependant ne jugeait-il pas sottement? Car, en somme, tout était normal et le don des médiums était véritable, encore que mal connu. A la veille d'une opération délicate un grand chirurgien pouvait surveiller sa nourriture. Pourquoi n'en serait-il pas de même de Mrs. Thomson? Les chaises étaient disposées en cercle et les lumières pouvaient être intensifiées ou baissées. Dermot constata qu'il n'était pas question de procéder à des vérifications et que Sir Alington n'examinait pas le médium. Non, sa présence avait un autre but. Dermot se souvint que la mère de Claire était morte à l'étranger assez mystérieusement. S'agissait-il d'hérédité?

Il fit un effort et ramena son esprit vers

l'instant présent. Chacun s'assit et on éteignit les lumières, à l'exception d'une petite lampe à l'abat-jour rouge, posée sur une table au fond de la pièce. Pendant un moment, on n'entendit que la respiration régulière du médium qui devint de plus en plus forte. Puis, si brusquement que Dermot sursauta, un coup violent se fit entendre au fond du salon et fut suivi d'un second du côté opposé, après quoi une rapide succession de chocs s'égrena et quand ils se turent un éclat de rire moqueur traversa la pièce. Puis, le silence revint et fut, ensuite, rompu par une voix absolument différente de celle de Mrs. Thomson, voix aiguë aux accents étranges.

— Je suis ici, messieurs, annonça-t-elle. Ou...ii, je suis ici. Vous voulez poser questions à moi?

— Qui êtes-vous? Shiromako?

— Oui, moi Shiromako. Suis arrivé depuis très longtemps. Moi travaille et moi très heureux.

D'autres détails sur la vie du Japonais suivirent. Ils étaient sans intérêt et Dermot en avait souvent entendu autant. — Tout le monde était très heureux. Des messages émanant de vagues parents furent ensuite transmis, mais d'une façon assez floue, pour s'appliquer à n'importe quoi. Une vieille dame qui dit être la mère d'une des personnes présentes, se manifesta assez longtemps et répéta des conseils d'almanach avec entrain.

— Autre esprit veut communiquer à présent, annonça Shiromako. Lui avoir très important message pour un des messieurs.

Il y eut un silence; puis une autre voix s'éleva et commença chacune de ses phrases par un ricanement démoniaque :

— Ha, ha, ha, ha. Faut pas rentrer chez vous. Suivre mon conseil.

— A qui parlez-vous? interrogea Trent.

— A l'un de vous trois. Si, j'étais lui, je ne rentrerais pas. Ecoutez-moi. Danger... du sang... pas beaucoup de sang, mais bien assez... Non... ne rentrez pas... La voix s'établit et répéta « ne rentrez pas... ».

Puis elle s'éteignit, et Dermot sentit se glacer son sang, car il était convaincu que l'avertissement le visait et qu'il courait un danger.

Le médium soupira, puis gémit... Mrs. Thomson revenait à elle. On ralluma l'électricité et, au bout d'un instant, la voyante se redressa et ses paupières battirent.

— Etait-ce intéressant? Je l'espère...

— Très intéressant. Merci infiniment, Mrs. Thomson.

— Je pense que c'était Shiromako?

— Oui, et d'autres...

— Je suis exténuée car c'est toujours épuisant. Je suis contente que ce soit réussi. J'avais peur d'un échec, il y a une drôle d'atmosphère ce soir, dans cette pièce.

Elle regarda, tour à tour par-dessus chacune de ses épaules puis les haussa d'un air malheureux et dit :

— Cela ne me plaît pas... Y a-t-il eu une mort subite parmi vous récemment?

— Que voulez-vous dire parmi nous?

— Dans votre famille? Chez vos meilleurs amis? Non? Si je voulais faire un drame, je dirais que la mort flottait par ici ce soir. Oh, ce n'est, sans doute, qu'une de mes idées. Au revoir, Mrs. Trent, je suis contente que vous soyez satisfaite.

Mrs. Thomson sortit drapée dans son velours grenat.

— J'espère, Sir Alington, murmura Claire, que cela vous a intéressé.

— Cette soirée fut passionnante, chère madame. Merci mille fois de me l'avoir procurée. Je vous souhaite le bonsoir. Je crois que vous allez tous à une soirée dansante?

— Ne voulez-vous pas nous accompagner?

— Non, non. J'ai pour règle d'être toujours couché à onze heures trente. Bonsoir, mesdames. Ah! Dermot, je voudrais te dire un mot. Peux-tu m'accompagner? Tu pourras rejoindre tes amis à la salle Grafton.

— Certainement, mon oncle. Je te reverrai là-bas, Trent.

Pendant le trajet jusqu'au domicile du médecin, dans Harley Street, l'oncle et le neveu n'échangèrent que peu de mots. Le premier s'excusa d'avoir emmené Dermot et lui promit de ne pas le retenir longtemps.

— Veux-tu que je fasse attendre la voiture, mon garçon? demanda-t-il comme ils la quittaient.

— Ne prends pas cette peine, oncle Alington, je trouverai un taxi.

— Parfait. Je n'aime pas faire veiller Charlie plus qu'il n'est nécessaire. Bonsoir, Charlie... Où diable ai-je mis ma clef?

La voiture s'éloigna tandis que le spécialiste fouillait dans ses poches; il reprit enfin :

— J'ai dû la laisser dans mon autre pardessus. Veux-tu sonner? Je pense que Johnson est encore levé.

En effet, le calme valet ouvrit la porte immédiatement.

— Egaré ma clef, lui expliqua Sir Alington. Apportez-nous du whisky et du soda dans la bibliothèque, s'il vous plaît.

— Parfait, monsieur.

Le médecin se dirigea vers cette pièce, alluma puis fit signe à Dermot de fermer la porte.

— Je ne te retiendrai guère, lui dit-il, je désire te parler : me tromperais-je en disant que tu as un certain... penchant pour Mrs. Jack Trent?

Son neveu rougit violemment et répliqua :

— Jack Trent est mon meilleur ami.

— Ce n'est pas une réponse. Je suppose que tu considères mes idées sur le divorce et tout ce qui s'y rattache exagérément puritaines; mais je veux te rappeler que tu es mon seul parent proche et par conséquent, mon héritier.

— Il n'est pas question de divorce, répliqua sèchement Dermot.

— Certainement et ce pour une raison que

je connais sans doute mieux que toi. Je ne puis te l'exposer à présent mais je tiens à t'avertir : Claire Trent n'est pas pour toi.

Le jeune homme fixa sur son oncle un regard calme.

— Je comprends fort bien... et, si tu me permets de te le dire, mieux que tu ne crois. Je connais la raison de ta présence chez les Trent ce soir.

— Comment? Le spécialiste était nettement stupéfait. Comment l'as-tu apprise?

— Appelle cela une intuition! mais n'est-il pas vrai que tu étais là au titre de ta spécialité?

Sir Alington se mit à marcher de long en large.

— Tu as parfaitement raison, bien entendu, je ne pouvais te la révéler moi-même, quoique je craigne qu'elle soit bientôt de notoriété publique.

Le cœur de Dermot se serra.

— Es-tu donc... certain.

— Oui, il y a de la folie dans cette famille du côté de la mère. C'est un triste, très triste cas.

— Je ne puis y croire.

— Ce n'est pas étonnant. Aux yeux du profane les signes sont peu apparents.

— Et pour un expert?

— L'examen est concluant et, dans des cas semblables, le malade doit être enfermé aussi vite que possible.

— Juste Ciel! soupira Dermot. On ne peut interner quelqu'un sans raison.

— Mon cher enfant, on n'agit ainsi que lorsque sa liberté constitue un grave danger pour la communauté.

— Un danger?

— Très grand... Probablement sous forme de manie homicide; tel était le cas pour la mère.

Dermot se détourna en gémissant et enfonça son visage dans ses mains. Claire... la belle Claire aux cheveux d'or.

— Etant donné les circonstances, reprit l'oncle, j'ai estimé de mon devoir de te prévenir.

— Claire... ma pauvre Claire.

— Certes nous devons tous la plaindre.

Dermot leva la tête :

— Je n'y crois pas.

— Quoi?

— Je répète, je n'y crois pas. Les médecins

commettent des erreurs, tout le monde le sait. De plus, ils ne voient que leur spécialité.

— Mon cher garçon! cria Sir Alington furieux.

— Je te dis que je n'y crois pas... et, d'ailleurs, quoi qu'il en soit, j'aime Claire. Si elle veut me suivre, je l'emmènerai au loin, hors de la portée des médecins brouillons. Je la protégerai, la soignerai, l'abriterai avec mon amour.

— Tu n'en feras rien, es-tu fou?

Dermot fit entendre un rire ironique.

— Tu vas sûrement le prétendre!

— Ecoute-moi (le visage de l'aliéniste était cramoisi de fureur). Si tu fais une chose aussi scandaleuse, tout sera fini entre nous. Je supprimerai la rente que je te fais et je ferai un autre testament léguant aux hôpitaux tout ce que je possède.

— Tu peux faire ce que tu veux de ton maudit argent, répliqua Dermot d'une voix sourde. Moi, j'aurai la femme que j'aime.

— Une femme qui...

— Si tu prononces un mot contre elle, je te tuerai...

Un léger cliquetis de verre les fit se retourner, Johnson qu'ils n'avaient pas entendu venir dans le feu de leur querelle, était entré portant un plateau. Son visage de serviteur bien stylé, était impassible, mais Dermot se demanda ce qu'il avait entendu.

— Très bien, Johnson, lui dit son maître. Vous pouvez aller vous coucher.

— Merci, monsieur, bonne nuit, monsieur.

Le domestique sortit.

L'oncle et le neveu se regardèrent, calmés par cette interruption. Dermot dit :

— Mon oncle, je n'aurais pas dû te parler ainsi. Je comprends que tu as, du point de vue auquel tu te places, parfaitement raison. Mais j'aime Claire Trent depuis longtemps et je ne lui en ai jamais rien dit parce que Jack est mon meilleur ami. Mais, vu les circonstances, cela ne compte plus et l'idée qu'une question d'argent puisse me retenir est absurde. Je crois que nous avons dit tout ce qui importait. Bonsoir.

— Dermot...

— Il est tout à fait inutile de discuter. Bonsoir, mon oncle. Je suis désolé, mais la cause est entendue.

Il sortit rapidement et ferma la porte. Le

vestibule était dans l'obscurité. Dermot le traversa, ouvrit la porte extérieure, sortit dans la rue et claqua le battant derrière lui. Un taxi venait de déposer des clients un peu plus haut. Dermot le héla et se fit conduire à la salle Grafton.

Arrivé sur le seuil de la salle de bal, il resta debout un instant, pris de vertige. La bruyante musique de jazz, les femmes souriantes, il lui semblait avoir passé dans un autre hémisphère. Avait-il rêvé? Cette sombre conversation avec son oncle, avait-elle vraiment eu lieu? Tout à coup, Claire passa devant lui, en dansant. Dans sa robe blanche et argent qui la gainait étroitement, elle avait l'air d'un grand lis; elle lui sourit, son visage était calme. Il devait avoir rêvé.

La danse s'achevait et, bientôt Claire était auprès de lui... Il l'invita à danser et, tandis que la discordante musique recommençait elle était dans ses bras.

Tout à coup, il la sentit fléchir et lui demanda :

— Etes-vous fatiguée, voulez-vous que nous nous arrêtions?

— Oui, si cela ne vous ennuie pas. Tâchons

de trouver un coin où nous puissions parler. J'ai quelque chose à vous dire.

Ce n'était pas un rêve. Dermot retomba sur la terre. Comment avait-il pu croire que son visage était serein? Il était au contraire plein de terreur. Que savait-elle au juste?

Il trouva un coin tranquille et s'assit auprès d'elle.

— Alors, dit-il en affichant une gaiété qu'il n'éprouvait pas. Vous avez quelque chose à me dire?

— Oui... Elle baissait les yeux et jouait nerveusement avec la frange de sa ceinture. Mais c'est assez difficile.

— Dites-le-moi tout de même.

— Voici : je voudrais que vous... partiez pendant quelque temps. Il fut stupéfait car il s'attendait à tout, sauf à cela.

— Vous voulez que je parte? Pourquoi?

— Il vaut mieux être sincère, n'est-ce pas? Je sais que vous êtes un homme d'honneur, et aussi mon ami... Je désire que vous partiez parce que... je me suis éprise de vous...

— Claire...

Il ne savait que répondre; elle reprit :

— Je vous en prie, ne croyez pas que je

sois assez vaniteuse pour penser que vous... pourriez m'aimer aussi... Seulement je... je ne suis pas très heureuse... et... oh, mieux vaut que vous partiez.

— Ne savez-vous donc pas, Claire, que je vous aime follement depuis le jour où nous nous sommes rencontrés?

Elle leva vers lui un regard stupéfait :

— Vous m'aimez? Et depuis longtemps?

— Depuis le premier jour.

— Oh! s'écria-t-elle, pourquoi ne me l'avez-vous pas dit alors? A l'époque où j'étais libre? Maintenant il est trop tard. Non, je suis folle et je ne sais plus ce que je dis... je n'aurais jamais pu être à vous.

— Pourquoi, que signifient ces mots « il est trop tard »? Pensez-vous à mon oncle? A ce qu'il sait et à ce qu'il pense?

Elle acquiesça sans mot dire et sa figure ruissela de larmes.

— Ecoutez, Claire, il ne faut pas croire tout cela, n'y pensez plus. Vous allez venir avec moi dans les mers du Sud, dans les îles qui ressemblent à des bijoux verts. Nous serons heureux et je veillerai sur vous. Je vous écarterai de tout danger. Il l'entoura de ses bras, l'attira vers lui et la sentit trembler à son contact. Mais, soudain elle se dégagea vivement.

— Non, non, non. Ne comprenez-vous pas? Je ne peux plus maintenant. Ce serait laid, laid, je voulais être bonne mais, désormais ce serait affreux.

Dermot hésita, déconcerté par ses paroles et elle le regarda d'un air suppliant en ajoutant « je vous en supplie... je veux être honnête ».

Il se leva et s'éloigna en silence; il était ému et torturé... En allant chercher son chapeau et son pardessus, il rencontra Trent qui lui dit :

— Comment, tu pars déjà?

— Oui, je n'ai pas envie de danser ce soir.

— La soirée n'est pas attrayante, répondit Jack tristement. Mais tu n'as pas mes soucis...

Dermot se demanda avec effroi si Trent n'allait pas se confier à lui et il ne le voulait à aucun prix.

— Au revoir, dit-il, je rentre chez moi.

— Chez toi? Et l'avertissement des esprits?

— J'en accepte le risque. Bonne nuit Jack.

L'appartement de Dermot n'était pas éloigné; il marcha avec l'espoir que la brise nocturne calmerait sa fièvre. Arrivé devant la maison il ouvrit la porte et alluma l'électricité dans sa chambre. Puis, aussitôt, pour la seconde fois de la soirée, l'impression qu'il appelait « le signal rouge » l'envahit si complètement qu'il en oublia même Claire.

Le danger... il était en danger, en cet instant, dans sa chambre, en grand danger... Il tenta vainement de se juger ridicule mais sans grand effet car, en somme, jusqu'alors, le Signal Rouge l'avait toujours préservé du désastre. Tout en se moquant un peu de sa superstition il fit le tour de son logement car il n'était pas impossible qu'un malandrin s'y fût introduit. Mais il ne trouva rien. Milson, son domestique, était absent et l'appartement était complètement vide.

Il rentra dans sa chambre et se déshabilla lentement... Le sentiment du danger était de plus en plus fort. En allant prendre un mouchoir dans la commode, il demeura figé : un objet dur et lourd occupait le centre du tiroir. D'un geste nerveux, Dermot écarta le mouchoir qui cachait un revolver.

Stupéfait, Dermot l'examina. L'arme était d'un modèle peu courant et une balle y avait été tirée récemment. Quelqu'un l'avait mise là dans la soirée, car il était certain qu'elle ne s'y trouvait pas quand il s'était habillé avant le dîner.

Il allait la remettre dans le tiroir quand le bruit d'une sonnette le fit tressaillir. Elle retentit plusieurs fois et résonna fortement dans le silence de la nuit.

Qui pouvait venir à cette heure? La question faisait naître une seule réponse : danger... danger... danger...

Poussé par un instinct qu'il n'identifiait pas, Dermot éteignit sa lumière, enfila un pardessus et alla ouvrir la porte du vestibule. Il y avait deux hommes sur le palier, et, derrière eux il aperçut l'uniforme bleu d'un policeman.

— Monsieur West? demanda le premier visiteur.

Dermot crut avoir mis longtemps à répondre, mais en réalité, il ne s'écoula que quelques secondes avant qu'il ait répondu en imitant assez bien la voix indifférente de son valet : « Monsieur West n'est pas encore rentré. Que lui voulez-vous à cette heure-ci? »

— Pas encore rentré. Bien. Nous allons l'attendre.

— Non.

— Ecoutez, mon garçon, je suis l'inspecteur Verall de Scotland Yard et j'ai un mandat d'arrêt au nom de votre maître... Vous pouvez regarder...

Dermot fit semblant d'examiner le papier qu'on lui tendait et demanda avec stupeur :

— Qu'a-t-il fait?

— Un assassinat : Sir Alington West, de Harley Street...

Complètement affolé, Dermot recula, entra dans son petit bureau et alluma l'électricité. L'inspecteur le suivit et dit à son compagnon :

— Faites quelques recherches. Puis, s'adressant à Dermot :

— Vous, restez ici, et n'espérez pas aller prévenir votre maître. Comment vous appelez-vous?

— Milson, monsieur.

— A quelle heure attendez-vous M. West?

— Je ne sais pas, monsieur, je crois qu'il est allé à une soirée à la salle Grafton.

— Il en est sorti il y a juste une heure. Vous êtes sûr qu'il n'est pas rentré ici?

— Je ne pense pas, je l'aurais entendu.

Le deuxième policier reparut; il tenait le revolver à la main et le remit à l'inspecteur d'un air satisfait. Son supérieur parut enchanté et déclara :

— Voilà une preuve, il a dû rentrer et repartir sans que vous l'entendiez. Il a filé ensuite et il vaut mieux que je parte. Cawley, vous allez rester ici pour le cas où West reviendrait et vous surveillerez ce domestique, qui en sait sans doute plus qu'il ne l'avoue.

L'inspecteur s'en alla rapidement et Dermot tenta d'obtenir des détails en faisant parler Cawley qui ne s'y refusait pas :

— L'affaire est claire, déclara-t-il. Le crime a été découvert très vite. Le domestique Johnson venait à peine de se coucher quand il crut entendre une détonation; il est redescendu et a trouvé Sir Alington mort... tué d'une balle en plein cœur. Il nous a téléphoné tout de suite, nous sommes arrivés et avons recueilli sa déposition.

— Elle a éclairé l'affaire? risqua Dermot.

— Absolument. Le jeune West est arrivé avec son oncle et ils se querellaient quand Johnson a servi des rafraîchissements. Le vieux menaçait de faire un nouveau testament et votre maître annonçait qu'il allait le tuer.

Cinq minutes après on a entendu la détonation. Oh! oui, c'est clair. Ce garçon n'est qu'un jeune idiot.

Oui, tout était clair et le cœur de Dermot se serra, tandis qu'il se rendait compte à quel point l'accusation était accablante. Oui, il y avait du danger... un affreux danger et aucun moyen d'y échapper, sauf la fuite... Il se mit à réfléchir, et, au bout d'un instant, proposa de faire du thé. Cawley accepta volontiers car, ayant fait le tour de l'appartement il savait qu'aucune issue n'existait à l'arrière.

Dermot fut autorisé à se rendre à la cuisine où il mit une bouilloire sur le feu et remua des tasses et des soucoupes. Puis, il s'approcha de la fenêtre et souleva le store. L'appartement était au second étage, à l'extérieur de la fenêtre il y avait la petite benne employée par les ouvriers et qui montait ou descendait sur son câble d'acier.

Dermot sortit par la fenêtre et se suspendit au câble, il lui coupa les mains et elles saignèrent mais il persévéra.

Quelques minutes après il faisait avec précaution le tour du pâté de maisons, mais il se cogna à quelqu'un qui était debout dans la contre-allée et, à sa grande surprise, il reconnut Jack Trent. Celui-ci paraissait avoir compris le danger de la situation.

— Grand Dieu... Dermot, vite, ne reste pas ici.

Saisissant son ami par le bras, il l'entraîna dans une petite rue sombre puis dans une autre. Ils aperçurent un taxi en maraude, lui firent signe et y sautèrent. Trent donna son adresse au chauffeur et dit :

— Pour le moment nous sommes en sûreté. Quand nous serons chez moi nous déciderons ce qu'il faudra faire pour écarter ces idiots. Je suis venu tout de suite dans l'espoir de te prévenir avant l'arrivée de la police, mais il était déjà trop tard.

— Je ne sais pas que tu étais alerté, Jack... Tu ne supposes pas...

— Bien sûr que non, mon vieux, je te connais trop bien. Cependant l'affaire est mauvaise pour toi. Les flics sont venus poser des questions. A quelle heure tu étais arrivé salle Grafton, quand tu étais parti, etc. Dermot, qui est-ce qui a pu tuer le vieux West?

— Je n'en ai pas la moindre idée. Mais je suppose que le coupable a mis le revolver dans mon tiroir. On devait me surveiller de près.

— Cette séance était bizarre : « Ne rentrez pas chez vous. » Le conseil s'adressait à ton oncle. Mais le pauvre vieux est rentré et a été tué.

— Cela s'applique à moi aussi, répondit Dermot. Je suis rentré et j'ai trouvé un revolver et un inspecteur de police.

— J'espère que l'avertissement ne s'applique pas également à moi, dit Trent. Nous voici arrivés...

Il paya le taxi, ouvrit la porte avec son passe-partout et fit monter Dermot par l'escalier obscur jusqu'à son petit bureau qui était au premier étage. Il ouvrit la porte, alluma l'électricité. Dermot entra, il le suivit en disant :

— Pour l'instant nous sommes à l'abri. Nous pouvons réfléchir et décider ce qu'il nous faut faire.

— Je me suis conduit comme un imbécile, s'écria Dermot. J'aurais dû faire front car je me rends compte à présent qu'on m'a tendu un piège. Pourquoi ris-tu?

Car Trent renversé contre le dossier de sa

chaise, était secoué d'un rire inextinguible, et affreux. L'homme lui-même était horrible à voir et ses yeux brillaient d'un feu étrange.

— Oui, un piège diablement adroit, hoqueta-t-il. Dermot, mon garçon, tu es flambé...

Il attira l'appareil téléphonique vers lui et le jeune homme s'écria :

— Que fais-tu?

— Je vais appeler Scotland Yard, dire que leur oiseau est ici sous clef. J'ai fermé la porte en entrant et la clef est dans ma poche. Inutile de regarder celle qui est derrière moi, elle conduit dans la chambre de Claire qui la ferme toujours à l'intérieur. Elle a peur de moi, tu comprends, et depuis longtemps, car elle devine toujours quand je pense à ce couteau; un couteau bien aiguisé... Non, tu ne pourras pas...

Dermot avait fait un mouvement pour sauter sur Trent mais celui-ci brandit soudain un revolver.

— C'est le deuxième, ricana-t-il! J'ai mis l'autre dans ton tiroir... après m'en être servi pour tuer le vieux West. Que regardes-tu pardessus ma tête? Cette porte? Cela ne te servirait à rien, même si Claire l'ouvrait, pour toi, elle le ferait peut-être... Je t'aurais abattu avant que tu puisses bouger. Je ne te viserais pas au cœur, je me contenterais de t'estropier, afin de t'empêcher d'avancer. Tu sais que je suis un bon tireur. Je t'ai sauvé la vie une fois, idiot que j'étais. Non, je veux te voir pendre oui, pendre... Le couteau n'est pas pour toi : il est pour Claire, la jolie Claire, si blanche, si douce... Le vieux West le savait, c'est pourquoi il est venu ici ce soir. Pour se rendre compte si j'étais fou ou non. Il voulait m'enfermer pour que je ne puisse tuer Claire avec le couteau. J'ai été très rusé car j'ai pris sa clef et aussi la tienne. Je suis parti de la salle Grafton tout de suite. Je t'ai vu sortir de chez ton oncle, je suis rentré, j'ai tiré sur lui et suis reparti aussitôt. Ensuite, je suis allé mettre le revolver chez toi; j'étais de retour à la salle Grafton presque aussi vite que toi et j'ai glissé la clef dans ta poche en te disant bonsoir. Peu importe que je te raconte tout cela car nul ne nous entend et quand tu seras pendu, je serai content que tu saches qui t'a conduit à la mort... Tu n'as aucune échappatoire, cela me fait rire... Oh! tellement rire... A quoi penses-tu et qui regardes-tu?

— Je pense à ce que tu as dit tout à l'heure... Tu aurais mieux fait de ne pas rentrer, Trent.

— Que veux-tu dire?

— Regarde derrière toi.

Trent se retourna. Sur le seuil de la porte du fond, Claire se dressait avec l'inspecteur Verall...

Trent agit très vite; il tira et tomba en travers de la table. L'inspecteur bondit vers lui tandis que Dermot, les yeux fixés sur Claire n'arrivait pas à coordonner ses pensées; son oncle, leur querelle, le terrible malentendu, les lois anglaises sur le divorce qui n'eussent jamais permis à la jeune femme de se libérer d'un mari fou. Nous devons tous la plaindre, avait dit l'aliéniste. Les mots prononcés par elle « ce serait laid, laid »... Oui, mais à présent...

L'inspecteur se redressa et dit d'un air vexé :

— Il est mort.

— Oui, murmura Dermot, il a toujours été bon tireur...

S.O.S.

(S.O.S.)

— Ah! dit Mr. Dinsmead, avec satisfaction. Il recula d'un pas pour regarder la table ronde d'un air enchanté. La lueur du feu brillait sur la grosse nappe blanche, les couteaux, les fourchettes et les autres ustensiles.

— Est-ce... est-ce que tout est prêt? interrogea Mrs. Dinsmead en hésitant. C'était une petite femme fanée, au visage blême dont les cheveux rares étaient tirés en arrière et qui paraissait toujours très nerveuse.

— Tout est prêt, répondit son mari, avec une férocité joviale. C'était un gros homme aux épaules tombantes, au large visage rouge. Il avait de petits yeux porcins qui brillaient sous ses épais sourcils et une lourde mâchoire sans le moindre poil.

— De la limonade? interrogea sa femme, à voix basse.

Il secoua la tête :

— Non, du thé, cela vaut beaucoup mieux. Regarde le temps, il pleut et le vent souffle. Une bonne tasse de thé chaud est tout indiquée pour souper par une soirée pareille. Il cligna de l'œil, continua à regarder le couvert et reprit : un bon plat d'œufs, du bœuf froid, du pain et du fromage, voilà ce que je commande pour le souper. Va vite le préparer. Charlotte est dans la cuisine et attend de pouvoir t'aider.

Mrs. Dinsmead se leva, pelotonna la laine de son tricot avec soin et murmura : « Elle devient très jolie. »

— Ah! le véritable portrait de sa maman. Allons, sors et ne perdons plus de temps. Puis, il se mit à marcher dans la pièce en chantonnant. Ensuite, il s'approcha de la fenêtre, regarda au-dehors et murmura : « Affreux temps. Il est peu probable que nous ayons des visites ce soir. »

Il sortit de la pièce et, dix minutes plus tard, sa femme entra en portant un plat d'œufs frits; elle était suivie de ses deux filles qui apportaient le reste des provisions. Mr. Dinsmead et son fils Johnnie fermaient la marche. Le premier s'assit en haut de la table, balbutia un bénédicité et ajouta :

— Et que soit béni le premier qui inventa les conserves. Que ferions-nous, je vous le demande, habitant dans un pays isolé si nous ne pouvions, de temps en temps, ouvrir une boîte de conserve, quand le boucher oublie de nous servir?

Il se mit en devoir de découper le bœuf en gelée.

— Je me demande, dit sa fille Magdeleine avec humeur, qui a bien pu avoir l'idée de construire cette maison si éloignée de tout. Nous ne voyons jamais personne.

— En effet, répondit son père, jamais.

— Je ne comprends pas pourquoi vous l'avez achetée, papa, dit Charlotte.

— Vraiment, ma petite? J'ai eu mes raisons... oui, mes raisons. Tout en parlant, il regarda sa femme à la dérobée mais elle fronça les sourcils.

Charlotte reprit :

— Sans compter qu'elle est hantée. Pour rien au monde je ne voudrais dormir seule ici.

— Quelle bêtise! déclara son père. Tu n'as rien vu.

— Je n'ai rien vu en effet, mais...

— Mais quoi?

Charlotte ne répondit pas mais elle frissonna. Une forte averse vint frapper les vitres et Mrs. Dinsmead laissa tomber une cuillère sur le plateau.

— Serais-tu nerveuse? interrogea son mari. La nuit est mauvaise voilà tout. Ne te tourmente pas, nous sommes ici en sûreté près de notre feu. Il n'y a pas dehors une âme qui puisse nous déranger, ce serait un miracle si quelqu'un venait. Or, les miracles ne se produisent pas. Non, ajouta-t-il avec une satisfaction étrange, il n'y a pas de miracles.

Il achevait sa phrase lorsqu'on frappa soudain à la porte.

Dinsmead parut stupéfait et murmura : « Qui est-ce? »

Mrs. Dinsmead poussa un petit gémissement et serra plus fortement son châle autour de ses épaules. Magdeleine rougit, se pencha en avant et dit :

— Le miracle s'est produit, vous feriez bien d'aller voir qui est là.

Vingt minutes plus tôt, Mortimer Cleveland était debout sous la pluie et regardait son auto. Il avait vraiment de la malchance : deux pneus crevés en dix minutes et il était là, à des lieues de toute agglomération, au milieu de ces marais isolés, alors que la nuit venait et qu'il n'avait aucun espoir de s'abriter. Il avait eu bien tort de prendre un raccourci au lieu de rester sur la grand-route, car maintenant, il était seul sur un vague chemin de charrette, sans aucun espoir de faire avancer sa voiture, ne sachant absolument pas s'il y avait un village à proximité. Il regarda autour de lui avec perplexité et vit une vague lueur au-dessus de lui, sur la colline; puis, le brouillard l'enveloppa de nouveau, mais au bout d'un instant Cleveland revit la lueur et, après avoir hésité, il abandonna sa voiture et gravit le coteau.

Il fut bientôt sorti du brouillard et constata que la clarté venait d'une fenêtre, percée dans un petit cottage, où il trouverait au moins un abri. Il accéléra son allure en baissant la tête pour lutter contre le vent et la pluie qui semblaient vouloir le faire reculer.

Cleveland était assez célèbre, bien que peu de gens connussent son nom et ses travaux. Pourtant, il faisait autorité en matière de sciences occultes et il était l'auteur des excellents mémoires qui traitaient du subconscient. Membre de la Société des Recherches Psychiques, il étudiait l'occultisme. D'une nature particulièrement sensible à l'atmosphère, grâce à un entraînement constant il avait accru ce don naturel. Quand il atteignit enfin le cottage et frappa à la porte, il fut pris d'une sensation d'excitation comme si ses facultés s'étaient brusquement intensifiées.

A l'intérieur, le murmure des voix l'avait frappé et lorsqu'il sonna, un silence tomba puis il entendit le bruit d'une chaise qu'on repoussait. La porte fut ouverte brusquement par un gamin d'une quinzaine d'années. Cleveland regarda par-dessus son épaule et se trouva devant un intérieur semblable au tableau de quelque peintre hollandais : sur une table ronde le couvert était mis, une famille assise autour, éclairée par une ou deux bougies et la lueur du feu. Le père, un gros homme, assis d'un côté et une petite femme, aux cheveux gris et à l'air apeuré, lui faisaient face; une jeune fille, aux yeux effrayés, tenait à la main une tasse qu'elle portait à ses lèvres.

Cleveland s'aperçut tout de suite qu'elle était fort belle et présentait un type peu répandu : ses cheveux d'or rouge entouraient son visage et ses yeux fort écartés étaient du plus beau gris, sa bouche et son menton la faisaient ressembler à une Madone des primitifs italiens.

Il y eut un instant de complet silence, puis Cleveland entra dans la pièce et exposa sa situation. Quand il acheva, un silence assez bizarre tomba, puis, comme s'il hésitait, le père se leva en disant :

— Entrez, monsieur... Cleveland, avez-vous dit?

— Oui, c'est mon nom, répondit Mortimer en souriant.

— Il fait un temps à ne pas mettre un chien dehors, n'est-ce pas? Venez vous mettre près du feu. Ne peux-tu fermer la porte, Johnnie, tu vas rester là toute la nuit?

Cleveland avança et s'assit sur un tabouret de bois près du foyer. Le gamin repoussa le battant.

— Je me nomme Dinsmead, reprit le maître de la maison, d'un ton devenu aimable. Voilà ma femme et mes deux filles Charlotte et Magdeleine.

Pour la première fois, Cleveland vit le visage de la jeune fille qui était assise en lui tournant le dos et la trouva tout aussi belle que sa sœur, mais d'une façon absolument différente. Très brune, le visage d'une pâleur marmoréenne, elle avait un nez aquilin, très fin, et une bouche sévère. L'ensemble était austère et presque rébarbatif. Elle répondit à la présentation de son père, en inclinant la tête et fixa sur Cleveland un regard d'une intensité saisissante, comme si elle le jaugeait.

— Voulez-vous quelque chose à boire, monsieur? demanda Dinsmead.

— Merci beaucoup, répondit Mortimer, une tasse de thé me serait très agréable.

Dinsmead hésita un instant, puis s'empara l'une après l'autre de cinq tasses et les vida dans un bol en disant brusquement :

— Le thé est froid, fais-en d'autre, maman.

Mrs. Dinsmead se leva et sortit en emportant la théière. Mortimer eut l'impression qu'elle était heureuse de s'éloigner.

La théière ne tarda pas à reparaître et on servit du bœuf froid au convive inattendu.

Dinsmead parla sans arrêt, il se montrait loquace, aimable et confiant et donna à l'étranger un aperçu complet de son existence. Retiré récemment du métier d'entrepreneur qui lui avait procuré une bonne aisance, bien qu'ils n'eussent jamais vécu à la campagne, sa femme et lui choisirent de s'y installer. Certes, octobre et novembre ne semblaient pas le moment le mieux indiqué, mais, il ne voulait pas trop attendre et avait acquis ce cottage. Il se situait à douze kilomètres de tout lieu habité et à trente d'une ville. Il ne s'en plaignait pas; les jeunes filles jugeaient l'endroit un peu monotone, mais sa femme et lui aimaient le calme.

Il continua à parler en étourdissant Mortimer de son bavardage; il n'y avait là rien d'anormal et pourtant dès le premier coup d'œil Cleveland avait perçu une sorte de tension qui émanait d'un des habitants, il ne savait lequel. Puis il se jugea ridicule et pensa que son système nerveux le trahissait : ces gens avaient simplement été saisis par sa brusque apparition. Il s'inquiéta de son logement pour la nuit et Dinsmead lui répondit aussitôt :

— Il va falloir rester avec nous, monsieur, car vous ne trouverez aucun gîte à des lieues à la ronde. Nous pouvons vous donner une chambre et, bien que mon pyjama soit un peu trop large pour vous, cela vaudra mieux que rien; vos vêtements seront secs dans la matinée.

— Vous êtes fort aimable.

— Pas du tout, répondit Dinsmead. Ainsi que je le disais tout à l'heure, personne ne mettrait un chien dehors par une nuit semblable. Magdeleine, Charlotte, montez pour préparer la chambre.

Les deux jeunes filles sortirent et au bout d'un instant, Mortimer les entendit marcher au-dessus de sa tête.

— Je comprends que deux jolies jeunes filles comme les vôtres se trouvent un peu isolées ici, dit Cleveland.

— Elles ne sont pas laides, n'est-ce pas? répondit Dinsmead, avec une fierté toute paternelle. Certes, elles ne ressemblent ni à leur mère, ni à moi, car nous ne sommes pas très beaux, mais nous sommes profondément attachés l'un à l'autre, n'est-ce pas, Maggie?

Mrs. Dinsmead sourit un peu; elle avait recommencé à tricoter et ses aiguilles cliquetaient car elle allait très vite.

Peu après, les sœurs revinrent déclarer que la chambre était prête et Mortimer, après avoir remercié de nouveau, dit qu'il allait se reposer.

— As-tu mis une boule d'eau chaude dans le lit? demanda Mrs. Dinsmead.

— Oui, maman, deux.

— C'est parfait, déclara son mari.

— Montez, mes petites et assurez-vous que notre hôte n'a besoin de rien d'autre.

Magdcleine passa la première en tenant haut la chandelle.

Charlotte suivit. La chambre était agréable, petite, mansardée, mais le lit paraissait confortable et les quelques meubles étaient de vieil acajou. Un grand pot d'eau chaude était posé dans la cuvette, un pyjama très vaste étalé sur une chaise et le lit préparé.

Magdeleine s'approcha de la fenêtre pour s'assurer qu'elle était bien fermée. Charlotte jeta un dernier regard sur la table de toilette, puis toutes deux se dirigèrent vers la porte.

— Bonsoir, monsieur. Vous êtes sûr qu'il ne vous manque rien?

— Non, merci, mesdemoiselles; j'ai honte de vous avoir donné tant de peine. Bonsoir.

— Bonsoir.

Elles sortirent en fermant la porte derrière elles. Mortimer Cleveland resta seul et se déshabilla lentement d'un air pensif. Lorsqu'il eut revêtu le pyjama rose de Mr. Dinsmead, il rassembla ses vêtements mouillés et les mit dans le corridor ainsi que son hôte le lui avait conseillé.

La voix basse de Dinsmead montait du rez-de-chaussée. Que cet homme était donc bavard! Et d'ailleurs bizarre!... Mais en réalité il émanait quelque chose d'étrange de toute cette famille... à moins que ce ne fût seulement son imagination à lui. Il rentra dans sa chambre, ferma la porte, puis demeura debout auprès du lit, perdu dans ses pensées. Tout à coup il tressaillit : la table en acajou proche du lit était couverte de poussière et, dans cette poussière, on avait tracé trois lettres, fort visibles : S.O.S.

Mortimer sursauta comme s'il ne pouvait en croire ses yeux. Il y avait là une confirmation de tous ses vagues pressentiments, il existait quelque chose d'anormal dans cette maison.

S.O.S.! Un appel au secours. Mais, quelle main l'avait écrit dans la poussière, celle de Magdeleine ou celle de Charlotte? Cleveland se souvenait qu'elles étaient restées toutes deux, au même endroit, pendant un instant avant de sortir de la pièce. Laquelle avait furtivement touché la table pour y inscrire ces trois lettres?

Il évoqua les deux visages : celui de Magdeleine était sombre et fermé et celui de Charlotte, avec ses grands yeux, exprimait l'effroi, son regard avait même une étrange lueur. Il alla jusqu'à la porte et l'ouvrit. La voix sonore de Mr. Dinsmead ne se faisait plus entendre, la maison était calme. Mortimer pensa : « Je ne puis rien faire ce soir. Demain... nous verrons. »

Cleveland s'éveilla tôt et descendit dans le jardin, la matinée était fraîche et ensoleillée. Quelqu'un d'autre s'était également levé de bonne heure et, au fond du jardin, il aperçut Charlotte qui, appuyée contre la barrière, regardait les collines. Les pulsations de son cœur s'accélérèrent tandis qu'il s'apprêtait à la rejoindre, car dès le début, il avait été convaincu que le message venait d'elle. Lorsqu'il s'approcha, elle se retourna et lui souhaita le bonjour. Son regard était franc, ingénu, et ne laissait deviner aucune complicité secrète.

— Belle matinée, dit-il en souriant, le temps contraste totalement avec celui d'hier soir.

— C'est certain.

Il brisa une petite branche sur un arbre voisin et, à l'aide de cette baguette, il commença lentement à écrire sur le sable à ses pieds. Il traça d'abord un S puis un O, puis un autre S tout en dévisageant la jeune fille, mais il ne vit en elle aucune trace de compréhension.

— Savez-vous ce que ces lettres représentent? dit-il à brûle-pourpoint.

Charlotte fronça un peu les sourcils et demanda :

— Ne sont-ce pas celles que les navires envoient quand ils sont en perdition?

Mortimer acquiesça et répondit d'un ton calme :

— Quelqu'un les a tracées hier soir sur ma table de chevet; j'ai pensé que ce pouvait être vous.

Elle le regarda en ouvrant tout grands les yeux et répondit :

— Moi? oh! non.

Donc, il s'était trompé, il en éprouva un vif désappointement car cela lui arrivait bien rarement. Il insista :

— En êtes-vous certaine?

— Oh! oui.

Ils se retournèrent et marchèrent lentement vers la maison. Charlotte paraissait préoccupée et répondit au hasard à quelques remarques que fit son compagnon. Soudain, elle s'écria, d'une voix basse et anxieuse :

— C'est très curieux que vous me posiez cette question au sujet de ces trois lettres S.O.S. Bien entendu, je ne les ai pas tracées, mais j'aurais pu le faire.

Cleveland s'arrêta, la dévisagea et elle reprit très vite :

— Cela paraît ridicule, je le sais, mais j'ai eu peur, tellement peur... Quand vous êtes entré hier soir, il m'a semblé que vous apportiez une réponse.

— De quoi avez-vous peur? dit-il vivement.

— Je ne sais pas.

— Vous ne savez pas?

— Je crois que c'est de la maison, car depuis que nous sommes arrivés ici, ma frayeur n'a fait que grandir. Tous ceux qui m'entourent me paraissent changés, mon père, ma mère, Magdeleine, sont très différents.

Mortimer ne répondit pas tout de suite et Charlotte continua :

— Savez-vous que l'on dit que cette maison est hantée?

— Comment? Son intérêt s'éveilla immédiatement.

— Un homme y a assassiné sa femme, il y a plusieurs années. Nous ne l'avons appris qu'après être arrivés ici. Mon père déclare qu'il est ridicule de penser aux fantômes mais je... ne suis pas sûre.

Mortimer réfléchissait rapidement et demanda d'un ton calme :

— Est-ce que cet assassinat a été commis dans la chambre que j'ai occupée cette nuit?

— Je ne sais rien à cet égard, répondit Charlotte.

— Je me demande, ajouta Cleveland

comme se parlant à lui-même, oui, il est possible que ce soit cela.

La jeune fille le regarda sans comprendre et il reprit :

— Avez-vous jamais eu l'idée que vous possédiez des qualités de médium?

Elle le dévisagea avec stupeur et il reprit doucement :

— Je pense que c'est vous qui avez écrit les lettres S.O.S. hier soir tout à fait inconsciemment du reste, car un crime pollue l'atmosphère et un esprit aussi sensitif que le vôtre peut en être impressionné. Vous avez reproduit les sensations et les impressions de la victime. Il y a des années, elle a, sans doute, écrit S.O.S. sur cette table et vous avez agi comme elle hier soir.

Le visage de Charlotte s'éclaira :

— Je comprends, dit-elle, vous pensez que c'est là une explication. Quelqu'un appela dans la maison et elle rentra seule, laissant Mortimer se promener dans les allées du jardin. Il se demandait s'il était satisfait de l'explication qu'il lui avait donnée. Les faits qu'il connaissait n'étaient-ils éclairés et la tension qu'il avait éprouvée en entrant la veille dans cette maison en découlait-elle? C'était possible, pourtant, il lui restait l'étrange impression que son arrivée inopinée avait effrayé les habitants. « Je ne dois pas me laisser emporter par une simple explication psychique, pensa-t-il. Elle peut être exacte en ce qui concerne Charlotte, mais pas les autres, car mon arrivée les a tous bouleversés, sauf Johnnie. Quel que soit le mystère, Johnnie n'y est pas mêlé. »

En cet instant le jeune homme sortit du cottage et s'approcha de l'invité auquel il dit gauchement :

— Le déjeuner est prêt, voulez-vous entrer?

Mortimer remarqua que les doigts de l'adolescent étaient extrêmement tachés. Johnnie surprit son regard et se mit à rire :

— Je suis sans cesse en train de tripoter des produits chimiques, déclara-t-il, papa est furieux car il veut que je devienne architecte, tandis que moi, il n'y a que la chimie et les recherches de laboratoires qui m'intéressent.

Mr. Dinsmead parut à une fenêtre, jovial, souriant, et, en le voyant, toute la méfiance de Mortimer se réveilla. Mrs. Dinsmead était déjà assise devant la table servie et lui dit bonjour de sa voix sans timbre. Cleveland eut à nouveau l'impression que pour une raison ou pour une autre, elle avait peur de lui.

Magdeleine entra la dernière, adressa un léger salut à Mortimer, s'assit en face de lui et lui demanda brusquement :

— Avez-vous bien dormi? Votre lit était-il bon?

Elle le regardait attentivement et, quand il répondit affirmativement, il crut déceler sur son visage une expression de désappointement. Quelle réponse attendait-elle donc de lui?

Se tournant vers son hôte, Mortimer lui dit :

— Votre fils paraît s'intéresser à la chimie.

Il y eut un bruit sec, car Mrs. Dinsmead avait laissé tomber sa tasse à thé.

— Voyons, Maggie, voyons, dit son mari.

Mortimer eut l'impression qu'il mettait sa femme en garde. Puis, il se tourna vers son invité et se mit à discourir sur les avantages de la construction et l'inconvénient qu'il y avait à laisser des garçons se croire supérieurs à leur milieu.

Après le déjeuner, Cleveland sortit dans le

jardin, pour fumer. Il était évident qu'il lui faudrait bientôt quitter cette maison. Demander une nuit d'hospitalité était facile mais il était malaisé de s'attarder sans excuse et laquelle pourrait-il offrir? Pourtant, il n'avait guère envie de s'éloigner. Tandis qu'il réfléchissait à la question, il prit un sentier qui le conduisit de l'autre côté de la maison. Ses souliers avaient des semelles de crêpe et ne faisaient aucun bruit. Il passait devant la fenêtre de la cuisine quand il entendit parler Dinsmead et ce qu'il disait attira tout de suite l'attention de Cleveland. « C'est une grosse somme d'argent, n'est-ce pas? » Mrs. Dinsmead répondit, mais trop bas pour que Mortimer pût entendre. Toutefois son mari répliqua :

— Près de soixante mille livres, a dit l'homme de loi.

Cleveland n'avait aucune intention d'écouter aux portes et cependant il s'éloigna pensif, cette allusion à une grosse somme lui paraissait situer la question et la rendre plus claire... et plus sinistre.

Magdeleine sortit du cottage, mais son père la rappela. Dinsmead ne tarda pas à rejoindre son invité et s'écria gaiement :

— Magnifique matinée, j'espère que votre auto n'est pas détériorée.

« Il veut savoir où je vais », pensa Cleveland. Mais il remercia Dinsmead pour son aimable hospitalité.

— Ce n'est rien, ce n'est rien, dit l'autre.

Magdeleine et Charlotte sortirent ensemble de la maison et se dirigèrent bras dessus bras dessous vers un banc rustique. La tête brune et la tête blonde contrastaient agréablement et, mû par une impulsion, Cleveland dit :

— Vos filles ne se ressemblent guère, monsieur.

Celui-ci qui était sur le point d'allumer sa pipe, fit un mouvement brusque et laissa tomber l'allumette :

— Vous trouvez? C'est du reste exact.

Mortimer eut un éclair de compréhension et continua d'un air calme :

— D'ailleurs toutes deux ne sont pas vos filles.

Il vit Dinsmead le regarder, hésiter, puis prendre un parti :

— Vous êtes fort intelligent. En effet, l'une d'elles est une enfant trouvée, nous l'avons adoptée alors qu'elle était un bébé, l'avons élevée comme si elle était à nous, elle-même ignore absolument la vérité, mais il faudra bientôt la lui apprendre. Il soupira et Mortimer répondit avec calme :

— Question d'héritage sans doute?

Dinsmead lui jeta un regard soupçonneux, puis parut juger qu'il valait mieux être franc et se montra presque agressivement sincère :

— C'est curieux que vous disiez cela, monsieur.

— Télépathie, répondit Mortimer en souriant.

— Voici ce qu'il en est, monsieur. Nous l'avons recueillie pour rendre service à sa mère, contre une somme d'argent, car à cette époque, je commençais juste à travailler. Il y a quelques mois, j'ai lu dans les journaux une annonce et j'ai eu l'impression que l'enfant en question devait être Magdeleine. Je suis allé voir les notaires et nous avons entamé de longues discussions. Ils étaient un peu soupçonneux, naturellement, mais à présent, tout est arrangé, je vais emmener la petite à Londres la semaine prochaine, jusqu'à présent, elle ne sait rien. Son père était un juif très riche qui n'a appris son existence que peu de temps avant sa mort. Il avait chargé des gens de la retrouver et lui a laissé toute sa fortune.

Mortimer écoutait avec la plus grande attention. Il n'avait aucune raison de mettre en doute le récit de Dinsmead, car cela expliquait pourquoi Magdeleine était aussi brune et, sans doute aussi, son aspect distant. Toutefois, il pensa que, bien que l'histoire pût être exacte, il y avait des détails cachés. Mais il ne voulait pas faire naître des soupçons chez son interlocuteur, au contraire il lui fallait le rassurer :

— Voilà un cas fort intéressant, monsieur, dit-il, et je complimente Mlle Magdeleine, une riche et belle héritière qui a devant elle un avenir heureux.

— Certes, répondit Dinsmead, et de plus c'est une fille remarquable. Il s'exprimait avec chaleur.

— Il faut que je m'en aille maintenant, dit Mortimer, et je dois vous remercier encore de votre hospitalité si bienveillante.

Il entra dans la maison, accompagné par son hôte pour faire ses adieux à Mrs. Dinsmead. Debout devant la fenêtre, elle leur tournait le dos et ne les entendit pas entrer, quand son mari déclara gaiement :

— Mr. Cleveland vient nous dire adieu. Elle sursauta et laissa tomber ce qu'elle tenait à la main. Mortimer se baissa pour le ramasser. C'était une miniature peinte dans un style vieillot et qui représentait Charlotte.

Cleveland réitéra à Mrs. Dinsmead les remerciements qu'il avait déjà exprimés à son mari, mais il remarqua de nouveau l'air terrifié de son visage et les regards furtifs qu'elle lui jetait. Les deux jeunes filles n'étaient pas visibles mais Mortimer estimait qu'il eût été maladroit de demander à les voir; d'ailleurs, il avait une idée qui ne tarda pas à se montrer exacte.

Il s'était éloigné d'environ quatre cents mètres du cottage, en se dirigeant vers l'endroit où il avait laissé sa voiture, quand les buissons qui bordaient le sentier furent écartés. Magdeleine sortit sur le chemin devant lui et déclara :

— Il faut que je vous parle.

— Je vous attendais, répondit Mortimer, c'est bien vous, n'est-ce pas, qui avez écrit S.O.S. sur la table de ma chambre, hier soir?

Elle acquiesça et il reprit :

— Pourquoi? La jeune fille se détourna et se mit à tirer sur les feuilles d'un arbuste :

— Je l'ignore, répondit-elle, je l'ignore vraiment.

— Voyons, parlez-moi, reprit Cleveland.

Elle poussa un profond soupir et reprit :

— J'ai l'esprit pratique, je ne suis pas de celles qui s'imaginent des choses extraordinaires, pourtant, j'ai compris que vous croyez aux fantômes et aux esprits et quand je vous dis qu'il y a quelque chose de mauvais dans la maison, je veux parler de ce qui est tangible. Il ne s'agit pas seulement d'un écho du passé, et cela s'est aggravé depuis que nous sommes ici. Mon père est différent, maman est différente. Charlotte aussi.

Mortimer l'interrompit :

— Et Johnnie? demanda-t-il.

Elle le dévisagea d'un air approbateur :

— Non, dit-elle, maintenant que je réfléchis, Johnnie est le seul qui ne soit pas contaminé; hier à l'heure du thé, il était parfaitement calme.

— Et vous?

— Moi, j'avais peur, une peur d'enfant,

sans savoir pourquoi, et mon père était bizarre, il n'y a pas d'autre mot. Il a parlé de miracle, j'ai prié pour qu'il s'en produise un... alors, vous avez frappé. Elle se tut brusquement, dévisagea Cleveland et reprit d'un air de défi : « Je suppose que je vous parais folle. »

— Du tout, extrêmement saine d'esprit au contraire. Tous les gens sains prévoient le danger quand il est proche d'eux.

— Vous ne comprenez pas, répondit Magdeleine, je n'avais pas peur pour moi.

— Alors pour qui?

Elle secoua la tête d'un air étonné et murmura :

— Je ne sais pas... puis elle reprit : J'ai écrit S.O.S. par intuition, car j'avais la certitude, absurde sans doute, qu'on ne me permettrait pas de vous parler. Je ne sais pas ce que je voulais vous demander et je ne le sais pas davantage maintenant.

— Peu importe, dit Mortimer, je le ferai.

— Que pouvez-vous faire?

Il sourit :

— Réfléchir.

Elle le regarda avec inquiétude mais il reprit :

— Oui, on peut agir beaucoup en réfléchissant, vous ne croiriez pas à quel point. Hier soir, juste avant le repas, y a-t-il eu un mot ou une phrase qui ait attiré votre attention?

Magdeleine fronça les sourcils :

— Je ne crois pas, ou plutôt, j'ai entendu mon père dire à ma mère que Charlotte lui ressemblait d'une façon frappante, puis, il a ri d'une manière étrange. Cependant y a-t-il là quelque chose d'anormal?

— Non, répondit Mortimer lentement, sauf que Charlotte ne ressemble pas à votre mère.

Il garda le silence pendant un instant, leva les yeux et constata que la jeune fille semblait anxieuse.

— Rentrez, mon enfant, lui dit-il, et ne vous tourmentez plus, laissez-moi faire.

Elle se dirigea vers le cottage, tandis que Mortimer continuait sa route, puis il s'allongea sur l'herbe, ferma les yeux et se concentra pour réfléchir.

Johnnie, Johnnie. Il en revenait toujours à ce garçon qui était complètement innocent de toute l'atmosphère de suspicion et d'intrigues qui l'entourait mais qui en était cependant le pivot. Il se souvint du bruit qu'avait fait la tasse de Mrs. Dinsmead lorsqu'elle l'avait laissé tomber. Pourquoi avait-elle été si troublée? A cause de l'allusion banale qu'il avait faite au sujet des recherches chimiques de son fils? Sur le moment, il ne s'était pas intéressé à Mrs. Dinsmead, mais maintenant il le voyait clairement, tenant sa tasse à mi-chemin de sa bouche.

Cette idée le ramena vers Charlotte, telle qu'elle lui était apparue quand la porte s'était ouverte la veille au soir. Elle le regardait par-dessus le bord de sa tasse... puis, vint une autre réminiscence, celle de Dinsmead vidant toutes les tasses et disant « ce thé est froid ». Pourtant, la vapeur sortait. Le thé ne devait pas être froid. Il se souvint d'un article qu'il avait lu peu de temps auparavant et qui racontait l'histoire d'une famille entière empoisonnée par la négligence d'un gamin qui avait laissé de l'arsenic dans un garde-manger; le poison était tombé sur un pain. Mr. Dinsmead avait peut-être également lu ce journal. Le problème lui parut s'éclaircir et une demi-heure plus tard, il se leva.

Le soir était encore revenu dans le cottage;

il y avait des œufs pochés et une boîte de conserves. Mrs. Dinsmead sortit de la cuisine chargée de la grosse théière et les divers membres de la famille s'assirent autour de la table.

— La température est très différente de celle d'hier, remarqua Mrs. Dinsmead, en jetant un coup d'œil vers la fenêtre.

— Oui, répondit son mari, la nuit est si tranquille qu'on pourrait entendre tomber une épingle. Verse le thé, veux-tu?

Mrs. Dinsmead obéit et distribua les tasses, mais tandis qu'elle déposait la théière, elle poussa un petit cri et appuya une main contre son cœur. Son mari se tourna et suivit la direction de son regard terrifié. Mortimer Cleveland était debout sur le seuil.

Il avança d'un air aimable et dit : « Je crains de vous avoir fait peur, il m'a fallu revenir chercher quelque chose. »

— Chercher quelque chose, répéta Dinsmead dont le visage était devenu pourpre et dont les veines ressemblaient à des cordes, je voudrais bien savoir quoi.

— Un peu de thé, répondit Mortimer qui sortit rapidement quelque chose de sa poche, saisit une des tasses à thé et en versa le contenu dans un tube à essai qu'il tournait de sa main gauche.

— Que faites-vous? haleta Dinsmead, dont le visage était devenu blême, de pourpre qu'il était. Sa femme jeta un petit cri de terreur.

— Je pense que vous lisez les journaux, monsieur, j'en suis même sûr; on y lit parfois le compte rendu de l'empoisonnement d'une famille entière. Certains membres se remettent, d'autres non.

« Dans votre cas particulier, l'un d'eux serait mort et on supposerait d'abord que la conserve que vous aviez mangée était fautive. Toutefois, si le médecin était d'un naturel soupçonneux, il aurait vu le paquet d'arsenic dans votre garde-manger; il y a du thé sur l'étagère du dessous, tandis que dans l'étagère supérieure, il y a un trou. On admettrait alors que l'arsenic a contaminé le thé, par hasard. Votre fils Johnnie pourrait être accusé de négligence, sans plus.

— Je... je ne comprends pas, haleta Dinsmead.

— Je crois que si, répondit Cleveland, en prenant une deuxième tasse et en remplissant un deuxième tube à essai. Il colla une étiquette rouge sur le premier et une bleue sur l'autre, puis il déclara :

— Le tube à l'étiquette rouge contient du thé provenant de la tasse de votre fille Charlotte, l'autre de votre fille Magdeleine; je suis prêt à jurer que je trouverai dans le premier quatre ou cinq fois plus d'arsenic que dans le second.

— Vous êtes fou, murmura Dinsmead.

— Sûrement pas; vous m'avez dit aujourd'hui, monsieur, que Magdeleine n'était pas votre fille, vous m'avez menti. Magdeleine est votre fille et Charlotte est celle que vous avez adoptée, elle ressemble tellement à sa mère que, quand j'ai eu entre les mains la miniature représentant cette dernière, j'ai cru que c'était le portrait de Charlotte. Vous vouliez que votre fille héritât la fortune et, comme il vous serait impossible de cacher Charlotte et, comme quelqu'un ayant connu sa mère aurait pu se rendre compte de la vérité, vous vous êtes décidé à glisser une pincée d'arsenic au fond de sa tasse.

Mrs. Dinsmead poussa un éclat de rire strident et fut prise d'une violente crise de nerfs :

— Du thé, grinça-t-elle, voilà ce qu'il a dit, du thé, pas de la limonade.

— Ne peux-tu tu taire! hurla son mari furieux.

Mortimer vit Charlotte qui le regardait, les yeux exorbités, puis, il sentit une main sur son bras et Magdeleine l'attira à l'écart :

— Vous n'allez pas...

Cleveland posa la main sur son épaule : « Mon enfant, répondit-il, vous ne croyez pas au passé, mais moi j'y crois. J'ai compris quelle était l'atmosphère de cette maison. Peut-être que si votre père n'y était pas venu, *je dis peut-être*, il n'eût pas conçu son plan. Je vais garder ces deux tubes à essai, afin de sauvegarder Charlotte, maintenant et à l'avenir.

Mais je ne ferai rien d'autre par gratitude pour la main qui a écrit : S.O.S.

Puis il s'enfuit.

DERNIERS VOLUMES
PARUS DANS LA COLLECTION
LE CLUB DES MASQUES

« Composition réalisée en ordinateur par IOTA »

IMPRIMÉ EN FRANCE PAR BRODARD ET TAUPIN
7, bd Romain-Rolland - Montrouge - Usine de La Flèche.
ISBN : 2 - 7024 - 0184 - 8